生肖与生肖春联(代前言)

生肖也称为"属相",或称为"相属",简称"属"。按照汉字的解释,"生"指"出生","肖"的意思为相似、类似,"相"是面相,属相即面相何属。中国古人讲究天人合一,天地与我并生,万物与我为一,人与自然界万物具有天然的联系。所以,古人认为,人一出生就像某种动物,简称"生肖"。

生肖产生于远古时候的动物崇拜、图腾崇拜。十二生肖具体源于何时,现在已难于细考。最早记载十二生肖的文献,一般认为是东汉唯物主义思想家王充的著作《论衡》。其《物势》和《言毒》篇记十二种生肖之名,即"寅,木也,其禽虎也。戌,土也,其禽犬也。……午,马也。子,鼠也。酉,鸡也。卯,兔也。亥,豕也。未,羊也。丑,牛也。……巳,蛇也。申,猴也","辰为龙,巳为蛇,辰、巳之位在东南"。

生肖之所以为十二个,源于中国古代的干支纪年法。古人以天干(甲、乙、丙、丁、戊、己、庚、辛、壬、癸)和地支(子、丑、寅、卯、辰、巳、午、未、申、酉、戌、亥)纪年,十天干与十二地支相配,成为一个甲子,一甲子为六十年。其间又以十二年为一个周期,用地支来表示,附以动物,便成为子鼠、丑牛、寅虎、卯兔、辰龙、巳蛇、午马、未羊、申猴、酉鸡、戌狗、亥猪,即成为鼠年、牛年、虎年、兔年、龙年、蛇年、马年、羊年、猴年、鸡年、狗年、猪年。因此,古人就拿十二地支来配人们所肖或所属的十二种动物,从而有了十二生肖。例如,在推算年份的时候,凡是带"辰"字的年份,如甲辰、丙辰等都叫龙年,龙年出生的人,肖龙,便是属龙的。

至于这十二种动物,谁先谁后,按照什么样的顺序排列,也有各种传说。

传说之一:

此种传说是根据动物每日活动的时间而确定排列顺序的。我国至迟自汉代开始,即采用十二地支记一日的十二个时辰,而每个时辰相当于今天的两个小时。夜晚11时至凌晨1时为子时,此时鼠类最为活跃;凌晨1时至3时为丑时,牛正在反刍;3时至5时为寅时,虎正四处游荡觅食,此时最为凶猛;5时至7时为卯时,朝阳尚未升起,月亮还在天边,此时玉兔正忙于捣药;上午7时至9时为辰时,正是神龙腾云播雨的大好时光;9时至11时为巳时,蛇开始活跃;上午11时至下午1时为午时,阳气正盛,为天马行空之时;下午1时至3时为未时,据说羊在这时吃草,会长得更旺盛;下午3时至5时为申时,此刻猴辈最为活跃;5时至7时为酉时,夜幕降临,鸡开始归巢;晚上7时至9时为戌时,狗开始守夜,看家护院;晚上9时至11时为亥时,万籁俱寂,猪正酣睡。

传说之二:

轩辕黄帝要选十二个动物担任宫廷侍卫,猫托老鼠报名,老鼠给忘了,结果猫没选上,从此跟老鼠结成冤家。大象也未报名,是被老鼠钻进鼻子,给赶跑了。剩下的动物,原本推牛居首位,老鼠蹿到了牛背上,猪跟着起哄,这样老鼠排第一,猪排在老末。虎和龙不服,被封为山中之王和海中之王,排在鼠和牛的后面。兔子又不服,和龙赛跑,结果排在了龙的前面。狗又不平,一气之下咬了兔子,为此被罚在了倒数第二。蛇、马、羊、猴、鸡也经过一番较量,

【中华实用对联系列】

新编十二生肖春联

李文郑 主编

李文郑 宿秀珍 张凡 选编

中州古籍出版社

图书在版编目(CIP)数据

新编十二生肖春联/李文郑主编;李文郑,宿秀珍,张凡选编.—郑州:中州古籍出版社,2013.1
ISBN 978-7-5348-4125-5

Ⅰ.①新… Ⅱ.①李… ②李… ③宿… ④张… Ⅲ.①春联-作品集-中国 Ⅳ.①I269

中国版本图书馆 CIP 数据核字(2013)第 008596 号

出版社:中州古籍出版社
 (地址:郑州市经五路66号 邮政编码:450002)
发行单位:新华书店
承印单位:河南大美印刷有限公司
开本:890mm×1240mm A5   印张:11
字数:200千字   印数:1-5000册
版次:2013年1月第1版   印次:2017年4月第2次印刷

定价:16.00元
本书如有印装质量问题,由承印厂负责调换。

一一排定了位置,最后形成了鼠、牛、虎、兔、龙、蛇、马、羊、猴、鸡、狗、猪的顺序。

传说之三:

清代刘献廷《广阳杂记》引李长卿《松霞馆赘言》:"鼠无牙、牛无齿、虎无脾、兔无唇、龙无耳、蛇无足、马无胆、羊无神(瞳)、猴无臀、鸡无肾、犬无肠、猪无筋,十二属各有不全,《草木子》论之当矣。然子何以属鼠也?"其后又说,黑天苟地,混沌一片,鼠,时近夜半之际出来活动,将天地间的混沌状态咬出缝隙,"鼠咬天开",所以子属鼠。天开之后,接着要辟地,"地辟于丑",牛耕田,该是辟地之物,所以以丑属牛。寅时是人出生之时,有生必有死,置人于死地的莫过于猛虎,寅,又有敬畏之义,所以寅属虎。卯时,为日出之象,太阳本应离卦,离卦象火,内中所含阴爻,为月亮之精玉兔,这样,卯便属兔了。辰,三月的卦象,此时正值群龙行雨的时节,辰自然就属了龙。巳,四月的卦象,值此之时,春草茂盛,正是蛇的好日子,如鱼儿得水一般。另外,巳时为上午,这时候蛇正归洞,因此,巳属蛇。午,下午之时,阳气达到极端,阴气正在萌生。马这种动物,驰骋奔跑,四蹄腾空,但又不时踏地。腾空为阳,踏地为阴,马在阴阳之间跃进,所以成了午的属相。羊,午后吃草为最佳时辰,容易上膘,此时为未时,故未属羊。未之后申时,是日近西山猿猴啼的时辰,并且猴子喜欢在此时伸臂跳跃,故而猴配申。西为月亮出现之时,月亮属水,应着坎卦。坎卦,其上下阴爻,而中间的阳爻代表太阳金乌之精。因此,西属鸡。夜幕降临,是为戌时。狗正是守夜的家畜,也就与之结为戌狗。接着亥时到,天地间又浸入混沌一片的状态,如同果实包裹着果核那样,亥时夜幕覆盖着世间万物。猪是只知道吃的混混沌沌的生物,故猪成了亥的属相。

传说之四：

此种传说是按中国人信阴阳的观念,将十二种动物分为阴阳两类。阴与阳是按动物足趾的奇、偶参差排定的。

动物的前后左右足趾数一般是相同的,而鼠独是前足四,后足五,奇偶同体,物以稀为贵,当然排在第一；其后是牛,四趾(偶)；虎,五趾(奇)；兔,四趾(偶)；龙,五趾(奇)；蛇,无趾(同偶)；马,一趾(奇)；羊,四趾(偶)；猴,五趾(奇)；鸡,四趾(偶)；狗,五趾(奇)；猪,四趾(偶)。

我们国家的十二生肖两两相对,六道轮回,体现了祖先对我们中国人全部的期望及要求。

第一组是鼠和牛。鼠代表智慧,牛代表勤劳。两者一定要紧密地结合在一起,如果只有智慧不勤劳,就变成了小聪明；光是勤劳,不动脑筋,就变成了愚蠢。所以两者一定要结合起来。这是我们祖先对中国人的第一组期望和要求,也是最重要的一组。

第二组是老虎和兔子。老虎代表勇猛,兔子代表谨慎。两者一定要紧密地结合在一起,才能做到所谓的胆大心细。如果勇猛离开了谨慎,就变成了鲁莽；而一味地谨慎,就变成了胆怯。这一组也很重要,所以放在第二位。

第三组是龙和蛇。龙代表刚猛,蛇代表柔韧。所谓刚者易折,太刚了容易折断；过柔易弱,太柔了就容易失去主见。所以刚柔并济是我们历代的祖训。

第四组是马和羊。马代表一往无前,向目标奋进；羊代表团结和睦。中华民族是一个大家庭,我们在奋进时更需要团结和睦的内部环境。只有集体和谐,我们才能腾出手追求各自的理想。如果一个人只顾自己的利益,不注意团结、和睦,必然会落单。所以,个人的奋进与集体的和睦必须紧紧结合在一起。

第五组是猴子和鸡。猴子代表灵活；鸡定时打鸣，代表恒定。灵活和恒定一定要紧紧结合起来。如果你光灵活，没有恒定，再好的政策最后也得不到收获。但如果说你光是恒定，如一潭死水、一块铁板，那就不会有我们今天的改革开放了。只有它们之间非常圆融地结合，才能既具有稳定性，保持整体的和谐和秩序，又能不断变通地前进。

最后是狗和猪。狗代表忠诚，猪代表随和。一个人如果太忠诚，不懂得随和，就会排斥他人。而反过来，一个人如果太随和，没有忠诚，这个人就会失去原则。所以无论是对国家的忠诚、对团队的忠诚，还是对自己理想的忠诚，一定要与随和紧紧结合在一起，这样才容易真正保持内心深处的忠诚。这就是我们中国人一直坚持的外圆内方，君子和而不同。

在我们这个多民族国家里，许多少数民族也都使用十二生肖纪年。但是，各民族所用来纪年的动物及排序有所不同。

蒙古族用来纪年的十二种动物是：虎、兔、龙、蛇、马、羊、猴、鸡、狗、猪、鼠、牛；

广西壮族用来纪年的十二种动物是：鼠、牛、虎、兔、龙、蛇、马、羊、猴、鸡、狗、猪；

川滇黔彝族用来纪年的十二种动物是：鼠、牛、虎、兔、龙、蛇、马、羊、猴、鸡、狗、猪；

新疆维吾尔族用来纪年的十二种动物是：鼠、牛、虎、兔、鱼、蛇、马、羊、猴、鸡、狗、猪；

桂西彝族用来纪年的十二种动物是：龙、凤、马、蚁、人、鸡、狗、猪、雀、牛、虎、蛇；

哀牢山彝族用来纪年的十二种动物是：虎、兔、穿山甲、蛇、马、羊、猴、鸡、狗、猪、鼠、牛；

海南黎族用来纪年的十二种动物是：鸡、狗、猪、鼠、牛、虫、兔、龙、蛇、马、羊、猴；

云南傣族用来纪年的十二种动物是：鼠、黄牛、虎、兔、大蛇（蛟）、蛇、马、山羊、猴、鸡、狗、象；

新疆柯尔克孜族用来纪年的十二种动物是：鼠、牛、虎、兔、鱼、蛇、马、羊、狐狸、鸡、狗、猪。

不难看出，我国许多少数民族如蒙古、壮、部分彝族的十二生肖受汉族影响，与汉族基本一致。但有的民族在接受汉族生肖文化的同时又产生了一些变异：哀牢山彝族在十二生肖系列中，以穿山甲占据了龙的位置；新疆柯尔克孜族十二生肖中以鱼代龙，又以狐狸代猴；海南黎族同胞以十二生肖纪日，其次序以鸡起首，猴煞尾；生活在西双版纳地区的傣族以黄牛代替牛，以山羊代替羊，亥的属相不是猪而是象。从以上变化中大致可以看出，各民族在选择十二生肖动物时，由于生存环境的不同、当地物种的不同，选择了最亲近的动物作为生肖动物，从而给生肖文化带来了一定的差异。

除了在生肖动物选择上的差别外，少数民族还形成各自不同的纪年、纪日方法，同时产生了许多与生肖有关的民俗。如彝族十二属相纪历的历法，还被应用到占算命运的民间巫术之中。凉山彝族民间认为：人与木、火、土、铁、水五种元素关系密切，人只能与之和谐相处，才是天赋的命运。人的命运都处于五种元素与"公""母"配合而成的十种命运之中，即"木公""木母""火公""火母""土公""土母""铁公""铁母""水公""水母"。它们的和谐，称为"特补特莫"，"特"为和谐之意，"补"为阳，"莫"为阴。他们认为：以上十种命运是和谐的阴阳配属。此外,还将十种命运与十二属相相配,形成《纪年周期表》,以六十年一轮的纪年周期表来占算人的命运。彝族十二属相还用于婚姻方面,彝族在择偶与订婚时极重视民族、等级等条件。除此之外,男女双方生辰是否相合也很重要。民间有这样的口诀:"兔猪羊相随,牛蛇鸡相伴,狗马虎相合,猴龙鼠相和。"合乎上述口诀者为相合,不合也不十分严格,最忌属虎者与属鸡、羊者配,讳其"虎来吃鸡羊"。

据张公谨先生的观点,大约在汉朝,汉族的干支纪时法就逐步传入傣族地区,这种干支纪时法一直沿用至今,仍是傣历中的重要组成部分。其方法与农历一样,就是将十天干和十二地支相互搭配得六十年一甲子,以这六十个数来纪年、纪日,同时还单用十二地支纪月。大概在干支传入傣族地区后不久,汉族的十二生肖也随之传了过去。但傣族中各地十二生肖稍有不同:德宏地区与汉族完全相同;西双版纳则改"猪"为"象",改"龙"为"大蛇"或"蛟"。西双版纳等地的十二生肖与地支相配,不仅用来纪年,还用来纪月和纪日,如子年鼠骨(傣历中"骨"为年,"血"为月,"皮"为日)、丑年黄牛骨、寅年虎骨;四月兔血、六月小蛇血、七月马血;申日猴皮、酉日鸡皮……可见,汉族农历中的十二生肖被吸收到傣历中之后,其使用范围比之农历更为广泛。

传统观念认为,藏族的生肖纪年法是公元七世纪时由唐朝文成公主出嫁松赞干布带去的。藏族的生肖纪年,六十年为一甲子,藏语称为"回登",为木鼠之意,藏族六十甲子便从木鼠年开始,相当于汉族的甲子年。藏历生肖纪年具有将阴阳、五行、肖兽融合一体的特点,因此有"阴火兔年""阳土龙年""阳金猴年"之类的叫法。

藏历生肖纪年与阴阳、五行的具体配合与十天干有对应关系,以甲乙为木、丙丁为火、戊己为土、庚辛为金、壬癸为水。以上五对,每对中前者为阳,后者为阴。藏历纪年虽没有明确标明天干地支,但隐含着干支的顺序。另外藏历中还以女和男分别代替阴和阳,如阴金牛年又叫女金牛年,阳水虎年又叫男水虎年。

纳西族是居住于云南省境内的少数民族,是古代羌人的一支。纳西族也以生肖纪日,方法独特,配以方位。他们将一年十二个月分为大月小月,每月三十天,单月第一天为猴日,按猴、鸡、狗、猪、鼠、牛、虎、兔、龙、蛇、马、羊顺序,排至单月的第二十九天为鼠日;进入双月,双月第一天隔过牛日,定为虎日。

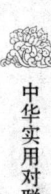

生肖,这一人类社会的奇特现象,不仅中国有,日本、柬埔寨、印度、缅甸以及欧洲、美洲、非洲的一些国家都有,只是表现的方式不同,但都体现了人与自然互相联系、密不可分、相互依赖的关系。如:

越南人有十二个生肖,与中国人的生肖基本相同,只是中国有"兔"无"猫",越南则有"猫"无"兔"。

埃及人有十二个生肖,分别是:牡牛、山羊、猴子、驴、蟹、蛇、犬、猫、鳄、红鹤、狮子、鹰。

希腊人有十二个生肖,与埃及人的生肖基本相同,只是希腊人有"鼠"无"猫",埃及人则有"猫"无"鼠"。

墨西哥人有十二个生肖,由虎、兔、龙、猴、狗、猪和其他六种墨西哥特有的动物组成。

欧洲各国人的生肖基本相同,多以天文学上的星宿为生肖。如法国人以宝瓶、双鱼、摩羯、金牛、白羊、巨蟹、双子、狮子、室女、天蝎、人马、天秤等组成十二生肖。

最值得一提的,是印度的十二生肖,与中国十分相似。据印度神话《阿婆缚纱》记,十二生肖原为十二个神的驾兽,分别为鼠、牛、狮、兔、龙、蛇、马、羊、猴、金翅鸟、狗、猪。除狮子和金翅鸟外,诸种动物及其排列顺序与中国十二生肖如此相似,无怪乎佛教典籍要将中国生肖之源溯于佛祖了。《法苑珠林》引《大集经》曰:"阎浮提外,四万海中,有十二兽,并是菩萨化导。人道初生,当菩萨往宏,即属此兽护持,得益。故汉地十二辰依此行也。"此说是否可信,倒也不必深究。要注意的是,生肖这种现象并非哪个民族独有,而是人类文明进程中具有普遍性的产物,是人类对时间及其与自身关系所作的诗意而又充满神秘色彩的把握。

正因如此,生肖成为许多国家民族文化的重要组成部分。在中国,生肖的存在更有着不容忽视的意义。围绕着十二生肖,人们编织出许许多多动人的故事,生发出形形色色的习俗,并从中去窥探自身的奥秘与命运。为此,生肖在各个民族、各个时代都受到了普遍的喜爱与重视,以至于被吟咏传唱。南朝陈沈炯写有《十二属诗》:"鼠迹生尘案,牛羊暮下来。虎啸坐空谷,兔月向窗开。龙隰远青翠,蛇柳近徘徊。马兰方远摘,羊负始春栽。猴栗羞芳果,鸡跖引清杯。狗其怀物外,猪蠢窅悠哉。"明代胡俨也写有《续十二辰诗》:"鼹鼠饮河河不干,牛女长年相见难。赤手南山缚猛虎,月中取兔天漫漫。骊龙有珠常不睡,画蛇添足适为累。老马何曾有角生,羝羊触藩徒忿懥。莫笑楚人冠沐猴,祝鸡空自老林丘。舞阳屠狗沛中市,平津牧豕海东头。"诗中暗含了许多有关十二生肖的典故和成语,足见生肖文化意蕴之一斑。

还有人分析了各个生肖的性格特征,十分有趣,不妨录于此:
鼠年出生的人:敏锐乐观。
性格:柔和,为人坦诚、单纯,具有敏锐的直觉,以感觉来判断事物,能力强、属性急,急功型,虚荣心强。

爱情:很受人喜爱,细心,温柔,对于爱情充满罗曼蒂克的憧憬,对于异性有强烈的好奇心,并且绝不会令对方感觉无聊或乏味。

最佳配偶:龙、猴、牛。

运气:一生运势良好,在事业方面,中途有挫折,但懂得储蓄,能安定平稳地度过一生。

忠告:过分自信,常有事后追悔情况。

职业:学者,作家,艺人,医生。

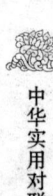

牛年出生的人:勤勉踏实。

性格:沉默寡言,为人正直、纯朴,不愿伪装表面,富于同情心,具有勤劳、努力、坚毅的习惯,思考力强,坚持己见,容易失去朋友,有老大气概,做事很精细,晚年将宏图大展。

爱情:典型的现实主义者,缺少罗曼蒂克情调,个性不够潇洒,女性具有容忍性格及母爱。

最佳配偶:鼠、蛇、鸡。

运气:节约自俭,晚年头角峥嵘,财运亨通,种瓜得瓜,种豆得豆。

忠告:有我行我素的强烈性格,行动往往偏激,故要心胸开阔,集思广益,不可独断专行。

职业:律师,作家,社会工作者。

虎年出生的人:富于冒险。

性格:富于正义感,讲道理,男性外刚而内柔,女性则外柔而内刚,具有组织才能、开拓精神,热心公益,就女性而言,常常是不让须眉型。

爱情:主动获得对方的爱,有魄力,拥有动人的风韵,天生丽质,讨人喜欢。

最佳配偶:马、狗、猪。

运气:上天赋予好运,行动表现非凡,为十二生肖中运气最好者,是成功与幸运的象征。

忠告:一生沉浮不定,但能积极进取,克服困难,步步高升。

职业:领导干部,高级主管。

兔年出生的人:高贵典雅。

性格:为人乐观、快活,不愿过拘束的生活,为追求理想而前进,但因实施能力薄弱,故事多不成。凡有新流行,就走在前端,观念非常前卫。

爱情:非常罗曼蒂克,善解人意,外貌与内心都温柔有加,若能宽宏大量,即可享受甜美的爱情。

最佳配偶:羊、狗、猪。

运气:一生运势良好,虽有小波折,职位升迁较慢,但能安定平稳度过一生。

忠告:对人、事物的心思过于细致,要抑制嫉妒心,放开心胸,发挥天赋,就可望成功。

职业:经商,种植。

龙年出生的人:气宇轩昂。

性格:人品高,刚毅,富于热情,有强烈的上进心。属聪明才智型,但缺乏思虑的耐心,做事常半途而废,表面冷漠,其实内心有极强的任侠骨气,处处为他人着想。

爱情:渴望恋爱,重视气氛,希望得到对方的温柔怜爱,女性重视贞操,不过中年以后会有情感上的困扰。

最佳配偶:猴、鼠、鸡。

运气:命运不错,却有波折,年轻时若有贵人相助,多能飞黄腾达;中年运势稍差,对钱财常挥霍无度。

忠告：无耐性,经不起考验,要想成功,需有始有终。

职业：任何职业皆可。

蛇年出生的人：神秘莫测。

性格：具有周密的思考力,立定志愿后必勇往直前。表面坦诚,其实是神经质,猜疑心强。智能高,具有审美感,是艺术天才。

爱情：一旦喜欢对方,易燃烧起炽烈的占有欲和嫉妒心。思想开放,富有神秘色彩,感情有时不专,偶然机会下易背弃另一半。

最佳配偶：牛、鸡。

运气：名利财富,唾手可得,在金钱方面是一位幸运者。如展其非凡的才华,不少人能成就大业。

忠告：智慧非凡,运用应谨慎。

职业：演艺者,特种营业者。

马年出生的人：独立奔放。

性格：为人豪爽,活泼,推断力强,头脑灵活,机智,迅速,对任何事都很坦率,正直,并且口才好,对事物的好恶差距大,很容易走极端。

爱情：性情直率,喜欢与厌恶表现非常明显,不作暧昧表示,多数人晚婚,因爱好自由无拘无束,婚姻容易陷入危机。

最佳配偶：虎、羊、狗。

运气：晚年行运佳,在事业方面,中途有挫折,倘能巩固事业基础,成就非凡。

忠告：耐性不强,做事易半途而废,需锻炼耐性。

职业：作家,企业家,艺术工作者。

羊年出生的人：温文尔雅。

性格：柔和而稳重,有深厚的人情味,是重仁义的好人,具有细腻的思考力,有毅力,可得一技之长。表面柔和而内心却是坚持己见,反抗精神强,防御本能极优。

爱情:依赖性强,个性多愁善感,重感情。

最佳配偶:兔、羊、狗。

运气:运势随年龄而长,年轻时若有贵人相扶,亦能成大业。

忠告:略带神经质,不善于处理逆境,容易看破红尘,应培养进取精神。

职业:画家,公务员,美容师。

猴年出生的人:机智伶俐。

性格:幽默、机智、活泼,所以多方面的才能常超越人群,人缘好,但重名利,独占欲强,处事敏捷,自信心强,手脚灵活,善于模仿,开放,性格宽厚。

爱情:异性朋友多,热情奔放,定性不足。但遇到真正爱情,即变成感情专一者。

最佳配偶:鼠、龙。

运气:凡事以自我为中心,擅于交际,运势不错,年轻时锋芒渐露,持之以恒,必能成大业。

忠告:虽有过人的智慧,但目光短浅,应知足常乐。

职业:演艺界,独立经营事业。

鸡年出生的人:神采奕奕。

性格:表现力强,能注意到事情的细节,为人温和、谦虚而谨慎,有强烈的经济观念,但虚荣心强,爱享受,喜派头,追流行,对异性的诱惑,常无法克制。

爱情:刻意装扮,能言善道,颇能吸引异性,眼光颇高,一旦发觉对方不理想时,即有挥剑斩情丝的魄力。

最佳配偶:牛、马、蛇。

运气:一生坦途行好运,物质生活富裕,事业有成,虽有财运,开销也大,因此不太能存资产。

忠告:傲慢自负,对别人要求甚严,应少管闲事,避免无谓的麻烦,就会受欢迎。

职业:个体经营者,医生,公务员。

狗年出生的人:忠诚正直。

性格:为人正直,守规矩,有责任感,对上司、长辈敬重,工作认真,自我观念极浓,缺乏通融性,所以常失去许多美好的事物,防卫意识强。

爱情:喜恶皆表现明显,一旦付出真情就会全心全意善待对方,性情率直,天真,早婚者居多。

最佳配偶:虎、兔、马。

运气:生平运势佳,有贵人相助,中年后升迁几率大,若努力不懈,发挥潜能,将是卓越的主管。

忠告:情绪不稳定,要自我克制,要不断吸收新知识,学习处世之道。

职业:教师,医务工作者,经商。

猪年出生的人:性情率直。

性格:纯情,律己甚严,但缺乏应变能力。平时沉默寡言,独断独行,常因异性的事而起波折。

爱情:纯情可爱,胸襟开朗,感情丰富,对爱情的表示不轻易显现在外,真情却深藏内心。

最佳配偶:羊、兔。

运气:在十二生肖中,财运首屈一指,福星高照,年轻时就能出人头地,无论从事何种职业,都有可能成为叱咤风云的人物。

忠告:做事缺乏耐性,依己意行事,不会转移目标或运用手腕,须谨慎行事。

职业：文化界，交通运输业。

如今，中外的生肖邮票尽人皆知。此外，还有生肖钱币、生肖服饰、生肖烟标、生肖成语、生肖灯谜、生肖书法、生肖绘画、生肖游戏，北京怀柔、浙江莫干山、山东青岛等地还建有十二生肖公园，江苏苏州又要建生肖邮票博物馆，甚至有电视剧《十二生肖传奇》，上海美术电影制片厂有动画片《十二生肖》，日本也有动画片《十二生肖守护神》……真可谓不一而足。

对联，是世界上唯汉民族语言所独具的一种文学艺术形式，又是与广大老百姓的日常生活联系最为紧密的一种艺术形式，从古以来，很自然地就产生了许多生肖对联，尤其是生肖春联。特别是近年来，群众性的对联活动如火如荼，每年春节前夕，都有一大批新鲜而生动活泼的春联出现，其中不乏紧切年份的生肖春联。就对联的"切题"来说，这应是极有特色的一种春联。

福建刘福铸道兄曾在2002年2月的《中国楹联报》发表一篇题为《撰写生肖春联的宜和忌》的文章，极有见地。他在文章里说："生肖虽然只有十二种，但撰联高手却可以结合每年的国内外新形势，写出富有新意的生肖联。十二生肖中，有的生肖讨人喜欢，想象空间广阔，成语多，对联易作，如龙、虎、马、鸡等。但像鼠、猪、蛇、狗等形象不怎么讨人喜爱，贬多褒少，则不易构思，常会犯以词害意、强拉硬拽的毛病。所以要写出一副生肖联并非易事。"我还想再加上一句："要想写出一副上乘的生肖春联，尤其不易。"——这都是经验之谈。福铸道兄还在文章中提出了"四宜"和"四忌"：一宜喜庆吉祥，忌哀伤诅咒。因为是春联，所以应尽量体现欢乐祥和的节日气氛，遣词造句应注意避免死臭鬼怪一类字眼。如："金鸡报晓家家喜/玉宇生辉处处春""灵蛇珠献祯祥岁/骏马蹄扬改革年"。二宜正面褒扬,忌反面贬斥。但是在鼠、蛇、猪、狗等年份,却常见贬斥者。如:"贪心更比蛇心恶/谗口犹如虎口凶""吹牛拍马千夫指/克己奉公万众崇"。三宜蕴蓄能化,忌直露无遗。生肖入联,内容应蕴含一定寓意或富有诗意,使人回味;忌直露如口号,或毫无意义,犹如文字游戏。如:"老牛叹牛老/新年庆年新""天好地好春更好/猪多粮多福愈多"。四宜顺理成章,忌牵强附会。内容方面应有内在联系,顺畅自然,经得起推敲,否则,对仗再工整,辞藻再华丽,也只能是以词害意的失败之作。如"龙归大海风波息/蛇舞群山草木荣",上联的具体寓意不清,下联则显然没有逻辑联系。

还应该向大家说明的是,本书名曰《新编十二生肖春联》,所以有关生肖的其他类别的对联不在收录之列,像巧趣联、谐讽联、格言联之类。如:"鸡饥盗稻童筒打/鼠暑凉梁客咳惊""王好货,不论金银铜铁/寅属虎,全需鸡犬牛羊""古训杀鸡为警告/西餐品脑应提防"等。

本书之所以叫"新编",正是我们从近年来出版的一些书籍、报刊上收集到的当代楹联艺术家和楹联爱好者用全新的语言来反映新时代、新生活的新春联,与以往的中国古代生肖春联有着极大的不同。如"改革""开放""火箭升空""西部开发""入世""申奥""小康""手机""网络"等语汇,是近些年来新出现的,给人以耳目一新的感受。如果说与同类图书相比,本书有何特色,这应该就是最大的特色。书中春联除署名的以外,还收集有一小部分仍有生命力的传统生肖春联,其余大多是我们的习作;对别人的联作有较大改动的,也没有再署名;也有极个别的联作在传抄过程中失去了原作者的姓名。所以,本书其实是集体的劳动成果。

考虑到与生肖相近的传统的干支纪年和干支春联,本书附录收了一部分干支春联,可用作此类春联的参考。

　　具体做得如何,衷心期待着您的批评。

李文郑　宿秀珍　张　凡
2012年暑期

目 录

子 鼠 ··· 1
    鼠的文化象征意义 ··· 1
    鼠年春联 ·· 5
丑 牛 ·· 14
    牛字与牛词 ·· 14
    牛年春联 ·· 16
寅 虎 ·· 31
    情趣洋溢的"虎谚" ·· 31
    虎年春联 ·· 33
卯 兔 ·· 59
    兔文化趣谈 ·· 59
    兔年春联 ·· 60
辰 龙 ·· 79
    龙的象征意义 ··· 79
    龙年春联 ·· 83
巳 蛇 ··· 125
    蛇的象征意义 ··· 125
    蛇年春联 ·· 129

午 马	149
马的象征意义	149
马年春联	151
未 羊	184
"羊"语趣话	184
羊年春联	187
申 猴	208
猴与"猴"字	208
猴年春联	210
酉 鸡	225
鸡的象征意义	225
鸡年春联	228
戌 狗	264
狗和狗的象征意义	264
狗年春联	267
亥 猪	285
猪的象征意义	285
猪年春联	287
附录一　干支春联选	297
附录二　春联常用横批	329

子 鼠

鼠的文化象征意义

从传统上来说,鼠的口碑不佳,相貌也不讨人喜欢,还落个"老鼠过街,人人喊打"的下场。但从社会、民俗和文化学的角度来看,它早已脱胎换骨,由一个无恶不作的害人精,演化成一个具有无比灵性、聪慧神秘的小生灵。

我国民间早在几千年前就流传着所谓"四大家""五大门"的动物原始崇拜,即是对狐狸、黄鼠狼、刺猬、老鼠、蛇的敬畏心理的反映。人们普遍认为,这些动物具有非凡的灵性。其实,鼠与人类的生活有千丝万缕的联系。鼠文化自然在人类日常生活的方方面面中不加掩饰地呈现出来,鼠文化使鼠变得越来越可爱,越来越神秘。

鼠的第一个象征意义是灵性。鼠嗅觉灵敏,胆小多疑,警惕性高,加上它的身体十分灵巧,穿墙越壁,奔行如飞,而且它还兼有另两项突出的本领:从数十米甚至上百米的高空落到地上,翻转身体,喘息一下,便像没事一样,绝对没有粉身碎骨的性命之忧;它虽说不是水生动物,也没有超强的游泳本领,然而窄沟、浅水、池塘是挡不住它的,为了求生,它可以一口气在水底钻好几米远(超过自己身长十倍以上的距离),而自己则毫发无损。所以要摔死或淹死老鼠,那可真有些白费心机。

人们常用"比老鼠还精"来形容某人的精明和机灵;同样,形容一个人行动迅速敏捷,顺时应变,我们也常说他"像老鼠一样善变"。

民间还认为鼠性通灵,能预知吉凶灾祸。其实鼠生于自然,长于自然,对自然界将要发生的不测如地震、水灾、旱灾、蝗灾等做出一定的反应是很正常的,这是地球生物具有的某种特殊本能,只是人类限于自身知识的有限,还未能揭示出它的神秘和规律罢了。在唐山大地震前夕,人们惊异地发现鼠群向郊外奔窜,或者三五结伙蜷缩在马路、街道等相对空旷的地方。类似的事情,在古代必定重演过多次,所以老鼠在人类心目中变成了通灵的神物。我们通过"周公析梦"中关于鼠的解释就可略见一斑。

生活中,每个人都会做梦。梦中会出现五花八门的事物。如果你梦见了鼠,是喜是忧,是福还是祸? 俗话说:"是福不是祸,是祸躲不过。"

如果梦见麝香鼠,事业成功。梦见有很多麝香鼠,困难和不幸要临头。

梦见老鼠,会树敌过多。已婚女人梦见手里托着家养的老鼠,要生孩子。梦见抓老鼠,会交上不诚实的朋友。梦见捕老鼠,会遭到敌人的阴谋暗算。梦见猫捉老鼠,是福,敌人会互相残杀,两者俱亡。梦见死老鼠,要交好运。梦见有很多老鼠,失败将不断发生。梦见老鼠在自己的住室里打洞,家里会遭偷窃。男人梦见老鼠在咬自己,灾祸会避免。医生梦见老鼠,住地会出现传染病。

梦见松鼠,艰苦奋斗定有所获。女人梦见松鼠,会与丈夫分离。被驱逐的人梦见松鼠,自己的目的一定会达到,旅行会舒适,事业会成功。梦见打死松鼠,是不祥之兆,会灾难临头。梦见捉松鼠,或者把松鼠拿在手里,是吉兆,会找到藏匿的财宝。梦见松鼠咬了自己,在主要问题上会与朋友产生分歧。农民梦见松鼠,会丰收在望。

鼠的第二个象征意义是生命力强。众所周知,老鼠的繁殖力强,成活率高。譬如一只母鼠在自然状态下每胎可产出十来只幼鼠,最多的可达二十多只,妊娠期只有二十一天,母鼠在分娩当天就可以再次受孕,幼鼠经过三十到四十天发育成熟,其中的雌性加入繁衍后代的行列。如此往复,母鼠一年可以生育五千左右子女,至于孙子、孙女、曾孙辈,已多到无法计算。据研究,母鼠体内含有一种独特的化学物质,能够刺激雄鼠永远拜倒在它的"石榴裙"下,这大概也是鼠界能生会养的原因之一,故而民间将子女成群的善生母亲戏称为"鼠胎"或"鼠肚",比喻她的生育能力特强。

老鼠的成活率高,寿命长,如非遇到天敌猫的袭击或人类大规模的扑灭行动,大多数都能安享晚年、寿终正寝,而且子孙满堂,这是其他动物可望而不可即的。

过去华人中有一种民间组织,现在被人们戏称为"老鼠会"而予以取缔。它本来是百姓之间互助的一种形式,会员交纳一定的会费,再去介绍新会员加盟。由于会员人数多,会费也就相当可观,这笔费用用于个别会员。每个会员都有机会获得这种资助,但究竟谁先谁后,则需要按一定程序或抽签来决定,其原理是集中社会闲散资金在短时间内让少数幸运会员先富起来。会员如遇突发事件急用钱,也可以提出请求,由该会讨论决定特别资助。这本来对百姓是有些保障性方面的好处的,但在具体操作过程中,由于会首握有大笔资金、大量权力,往往从中牟取私利,因而逐渐演变成一种带有金融剥削性质和明显黑社会色彩的帮会。

这种"会"或"社"的会员一到夜晚便四处出动,或动员别人入会,或参加组织聚会,其活动规律和老鼠昼伏夜出的习性几无二致;而且会员一变二,二变四,四变八……成倍增长,这与老鼠不同凡响的繁殖力也十分相似,故而人们把它形象地称作"老鼠会"。近年来时有风行的非法传销、联谊信、连环信等,大多数都是旧时"老鼠会"的翻版。

鼠的第三个象征意义是精致细小。鼠生就一副小巧玲珑的体态,喜欢上蹿下跳,是无法与"大"字联系在一起的。我国第一部诗歌总集《诗经》中有一篇叫《硕鼠》,是把贪官污吏比作硕大的老鼠;《韩诗外传》中有《社鼠》篇,同样也是老鼠托大的比喻:

齐景公问晏子:"做人最怕什么?"晏子笑了笑,严肃地说:"社鼠躲在土地庙里,跑出来只是为了偷吃东西。人们要捉,又怕毁了土地庙里的器物,得罪了土地爷遭到报应,所以拿它无可奈何。现在君王身边就有这样的社鼠,愿君主别再庇护他们。"

这是晏子借鼠进言,向齐景公讲述治国之道。就鼠的喻义而言,总与微不足道、无须挂齿连在一起,如鼠窃狗盗指一般的"小蟊贼"。《旧唐书·萧铣传》中描述隋朝末年社会混乱状况时说:"自隋朝维绝,宇县瓜分,小则鼠窃狗偷,大则鲸吞虎据。"

再如鼠技指雕虫小技。《荀子·劝学篇》中说:"螣蛇无足而飞,梧鼠五技而穷。"字面意思有飞蛇虽然没有脚但可以奔行如飞,梧鼠虽有多种本领却难以施展。言外之意是精通一种本领就够你施展了,如果贪多不精,都会点入门功夫,就算会的再多也没有多大用处。

其他如"鼠子""鼠辈"等具有相同意思,含有鄙视、看不起的贬义。三国时王允讨厌凉州胡文才、杨整修二人,故意当众说:"关东鼠子欲何为耶?"(这两个关东小人想干什么?)以此来表达自己的不满情绪。

另外,因为鼠牙长势凶猛,需要不断磨牙才能保持其长度,人们常用"鼠牙雀辩"比喻那些喜欢逞口舌之利的人。

近年来,世界范围的动物保护组织把老鼠也作为保护对象。2005年6月,法国南部港口城市尼斯市市长雅克·佩拉特在一个垃圾收集站检查工作时,发现一只又肥又大的老鼠,他抄起一把铁锹把这只老鼠打死。不料,此事却激怒了法国动物保护协会,他们竟一纸诉状将市长告上了当地法庭。

每逢农历的甲子、丙子、戊子、庚子、壬子年,都是鼠年。

鼠年春联

人喜盛世
鼠兆丰年

豚肥国富
鼠瘦民殷
　　　　（洪　荒）

子夜为鼠
丑时属牛

一鼠迎春早
万花吐蕊娇

岁迎金鼠
国奏瑞章

一鼠迎春早
百花吐艳多
　　（李　渡）

阳春无价
相鼠有皮

人欢为体健
鼠硕因年丰

松随岁古
鼠与年新

人勤猪献宝
年稔鼠积粮
　　　　（刘鹤元）

和谐增寿
灵巧迎春

子为地支首
鼠乃生肖先
　　（王定清）

子年春到户
鼠岁喜临门

子年防硕鼠
亥市聚肥猪

（何文杰）

子时岁交替
鼠节春更新

子时春意闹
鼠岁笑声甜

子夜迎新序
鼠年奔小康

子夜岁交替
鼠年春更新

子夜松涛劲
鼠年鹊语香

子夜钟声响
鼠年爆竹喧

子鼠迎春至
亥豚送岁还

（炉　火）

丰年除害鼠
盛世铲贪官

（何文杰）

冬伴亥猪去
春随子鼠来

（张中靖）

苍松随岁古
子鼠与年新

豕去农家富
鼠来社会安

豕去呈丰稔
鼠来报吉祥

豕去春无限
鼠来岁有余

欣有鼠须笔
喜题燕尾书

金钟敲子夜
玉鼠闹新年

金猪谋发展
玉鼠唱和谐

金豚欢国瑞
玉鼠兆丰年

猪守太平岁
鼠牵富裕年
（王树文）

宝猪辞旧岁
金鼠闹新春

鹊语红梅放
鼠年喜庆浓
（胡之锦）　　　　　（草　野）

春风拂绿柳
灵鼠跳青松

鼠为生肖首
春乃岁时先

春潮传喜讯
鼠岁报佳音

鼠至调新律
鸡鸣报早春

春燕鸣暖树
金鼠跳青松

鼠年防硕鼠
龙国御飞龙
（江深根）

钟声敲子夜
瑞气入鼠年

鼠年春作首
六畜猪为先

黄山松鼠跳
子夜阳春来

鼠来豕去远
春到景更新

黄山松鼠跳
绿野早春归

鼠颖题春帖
鹊舌报福音

黄莺鸣翠柳
金鼠恋苍松

鹊语红梅放
鼠年喜气浓

新妆鼠嫁女
美景艳迎春

碧野青蛙叫
黄山松鼠鸣

愿豚肥鼠瘦
希国富官廉

欣子鼠为岁首
咏梅句带花香

鼠年百业兴旺
子岁五谷丰登

鼠舞碧桃枝上
莺歌绿柳花间

一日时辰子作首
十二生肖鼠为先

一年季节春为首
十二生肖鼠领先

十二时辰鼠在首
一年四季春为头

人逢盛世情无限
鼠拱华门岁有余

人逢盛世精神爽
鼠兆丰年气象新

万千物类人为首
十二生肖鼠在前
（洪　荒）

万千气象开新景
一代风流壮鼠年
（周玉珊）

万千禽兽尊为子
十二生辰独占先

万户春灯迎鼠岁
千门爆竹送猪年
（草　野）

才见肥猪财拱户
又迎金鼠福临门
（魏　寅）

子岁人奔新富路
甲年众改旧乾坤

子岁从头开泰运
鼠标信手点财神

子岁梅香春满户
鼠年谷稔喜盈门
　　　　（朱凤林）

子夜鼠欢爆竹乐
门庭燕舞笑声喧

子年大有山河壮
甲岁丰盈日月新

午夜钟声响且远
十二时辰鼠在先

子时一报开新律
鼠岁三春送好音

反腐倡廉除硕鼠
强民富国树新风
　　　　（潘文通）

子时让位猪辞岁
零点迎新鼠接春

仓前硕鼠宜勤打
厨下馋猫应早防
　　　　（方典义）

子时辞旧钟声远
零点迎新鼠步先
　　　　（赵　根）

为人莫做官仓鼠
干事只求孺子牛
　　　　（吴岱宝）

子夜佳章茅盾著
鼠偷奇案况钟察

火树银花迎玉鼠
山珍海味列金盘

子夜钟声除旧岁
鼠年爆竹庆新春
　　　　（杨　威）

玉鼠迎春风雨顺
金鸡报晓国家安

子夜钟声燃爆竹
鼠年吉语化春联

丙年有庆猪辞岁
子夜无声鼠报春

子夜钟鸣辞旧岁
元宵炮响庆新春
　　　　（王　峰）

龙国群英兴伟业
鼠须彩笔绘蓝图

东风扑面经新雨
江水回头恋子年

花香鸟语山村富
雨顺风调鼠岁丰

务本神农播百谷
刺贪硕鼠吟三章

豕去鼠来辞旧岁
龙飞凤舞庆新春

发财莫忘猪为宝
增产须防鼠作灾

豕去鼠来新换旧
星移斗转岁更年

（吴拱贵）

吉日生财鼠拱户
新春纳福鹊登梅

豕去鼠来新换旧
星移斗转腊迎春

吉祥鼠报丰收岁
科技花开富裕家

豕去鼠临新换旧
时来运转富驱贫

老鼠娶亲成故事
雄鸡迎日报新春

豕岁已盈千廪粟
鼠年更上一层楼

老鼠娶亲鸣鼓乐
羊毫蘸墨写春联

但愿鼠年无硕鼠
且观华夏展芳华

（章万福）

岁月峥嵘逢子鼠
江山锦绣颂甲年

应赞肥猪多献肉
须防硕鼠尽贪心

（李德裕）

年画喜人鼠嫁女
红梅傲雪鹊鸣春

灵鼠先知传捷报
宝猪后觉献忠躯

（张广铸）

灵鼠迎春春色好
金鸡报晓晓光新

灵鼠跳枝月影动
春牛耕地谷香飘

雨顺风调仓廪足
子来亥去岁时新
　　　　　（邹宗德）

松青鼠媚山河秀
雨顺风调稻谷香
　　　　　（郭保中）

抱金猪财源滚滚
迎红鼠好事连连

欣交子夜赏春晚
频点鼠标过大年
　　　　　（孟凡国）

金猪摇尾辞旧岁
玉鼠探头贺新年

金猪憨厚铺金路
玉鼠勤劳捧玉杯

肃清仓鼠合民意
惩治贪官壮国威
　　　　　（王兴平）

春鼓频敲鼠嫁女
秧歌竞扭喜盈门

政清必少官仓鼠
春暖定多孺子牛
　　　　　（马庆友）

祖国健儿兴骏业
鼠须彩笔绘鸿图

莺歌燕舞春添喜
豕去鼠来景焕新

银花万簇迎金鼠
火树千株展玉龙

银花火树迎金鼠
海味山珍列玉盘
　　　　　（草　野）

猪去鼠来辞旧岁
莺歌燕舞贺新春

猪岁已赢十段锦
鼠年更上一层楼

猪年已展千重锦
鼠岁再登百步楼

猪年共谱和谐曲　　　　　　　鹊鸣梅放春迎户
鼠岁高歌发展观　　　　　　　鼠报年来福满门

猪年捷报频频至　　　　　　　鼠女出嫁千里外
鼠岁丰收处处传　　　　　　　钟声敲响两年间
　　　　　（魏　寅）

猪问平安随腊去　　　　　　　鼠无大小名称老
鼠生财富报春来　　　　　　　年接尾头岁更新

猪驮玉穗登勤第　　　　　　　鼠岁来临无硕鼠
鼠滚金桃贺上春　　　　　　　猪年过去少贪猪
　　　　　（蓝秀魁）　　　　　　　　　　（王积义）

猪进富家家永发　　　　　　　鼠岁结亲春上轿
鼠临福地地长灵　　　　　　　吉时拜友喜临门
　　　　　　　　　　　　　　　　　　　（草　野）

猪尾摇摇辞旧岁　　　　　　　鼠标一点赢世界
鼠标点点贺新春　　　　　　　猪尾三摇富中华
　　　　　（张广新）　　　　　　　　　　（李有才）

窗花巧剪吉祥鼠　　　　　　　鼠咬天开天降瑞
科技尊称富裕神　　　　　　　春催地绿地生金
　　　　　　　　　　　　　　　　　　　（段允生）

瑞猪赐福升天去　　　　　　　鼠须笔写平安福
灵鼠迎春下界来　　　　　　　孔雀屏开富贵春

鹊叫梅香春入户　　　　　　　鼠须笔写吉祥字
鼠来年瑞喜盈门　　　　　　　雀尾屏张如意图
　　　　　　　　　　　　　　　　　　　（周玉珊）

鼠颖描春成画稿
羊毫触墨舞龙蛇

鼠献皮毛堪补过
牛耕田土应为功

鼠舞松梢春色近
梅开雪夜富家勤

稻谷千重金浪起
山河万里玉鼠腾
　　　　（郭保中）

麟角凤毛增国誉
鼠须妙笔点春光

一纪开端共迎金鼠
三春肇始同举玉杯

玉鼠闹春神州喜庆
金猪留福大地欢歌
　　　　（宋　领）

春雨晓风花开五色
鼠须麟角力扫千军

稻麦盈仓须防硕鼠
鱼虾满网莫养馋猫
　　　　（胡　寅）

鼠年防鼠害宜诛硕鼠
公仆秉公心敬请包公

岁稔年丰务除囤米鼠
人勤家富不靠拱门猪
　　　　　　（刘鹤元）

金鼠闹春昭示民丰物阜
黄莺唱瑞更缘国盛风清
　　　　　　（张杰安）

治国似持家理财须戒侈
反贪如灭鼠除恶不留情
　　　　　　（洪国举）

人逢喜事精神爽吉祥如意
鼠兆丰年气象新福寿安康
　　　　　　（李文君）

反腐肃贪横眉冷对官仓鼠
爱民勤政俯首甘为孺子牛
　　　　　　（马庆友）

瑞献雪花玉龙飞起三百万
欢添绿酒金鼠报来十二时

豕岁又是丰收高高兴兴送去
鼠年更为繁盛欢欢喜喜迎来

丑 牛

牛字与牛词

在中国的汉字中,只要是与"牛"配伍的,不是有那么点牛劲,就是有那么些牛的精神。

"牦牛""牯""犊""犀""犋"等字,指不同种类的牛。

"牧"指放牛之地。"犁"则指牛耕地之器物。脾气倔如牛的称"犟"。牛角称为"犄"。死不悔改的牛性谓之"牾"。此外,如"牡""物""特""牺"等也都是与牛沾亲带故的本家。

牛在十二生肖中,是体积最大的,与老鼠正成对比,所以人们在生活中以"鼠"喻小或少,以"牛"寓大或多。如说大材小用为"牛刀小试""杀鸡焉用牛刀"或"牛鼎烹鸡"。

"牛目""牛嘴""牛肛""牛脚"则形容人体某些部位粗大不雅。

骂人声音粗野而难听为"牛声马哮"或"牛声马调"。

牛体大,毛自然多,因此以"牛毛"喻众多而细密。《抱朴子》说:"为学如牛毛,获者如麟角。"强调做学问之不易。杜甫有"秦时任商鞅,法令如牛毛"的诗句,是古代法令繁苛的具体描写。

古人以牛拉车载书,所以有"汗牛充栋"的故事。唐代文学家柳宗元《陆文通先生墓表》:"其为书,处则充栋宇,出则汗牛马。"意思是书多得堆满屋子,往外运时牛马累得出汗。后人遂把书籍多称为"汗牛充栋",可见牛很早就沾染上了书香。

牛有四个囊,食量很大,吃下食物后能反刍,人们因此讥笑人食量大者为"牛肚",称人善饮为"牛饮",脾气大的被称为"牛脾气",称制止发脾气或遏止说谎者为"扯牛鼻",讥讽人粗野不洁为"牛样",称人行动迟缓为"牛步迟迟",称夸耀不实者为"吹牛"或"吹牛皮"。

今称有非分企图、信口开河、投机取巧的不法分子为"黄牛"。凡事两情不符者为"风马牛不相及"或"牛头不对马嘴"。事不关痛痒谓"蚊子叮牛角",即一点知觉都没有。用"泥牛入海"指代一去不返。

牛以愚忠闻名。人们常把不智不肖、愚笨者称为"蠢牛"或"饲牛"。古时讥笑目不识丁者为"青瞑牛"(瞎眼牛),谓不明话意为"对牛弹琴",称毁誉由人为"呼牛呼马"。正如《庄子》所云:"呼我牛也而谓之牛,呼我马也而谓之马。"形容贤愚利钝不分为"牛骥共宰",报恩于人常说宁愿"做牛做马",即做牛马为人耕作驮行之意。

《汉书·王章传》:"初,章为诸生,学长安,独与妻居。章疾病,无被,卧牛衣(用草或麻编织而成的为牛御寒、遮雨之物)中,与妻诀,涕泣。"后人形容贫贱夫妻同过艰苦生活为"牛衣对泣"。

唐代韩愈《进学解》:"玉札丹砂,赤箭青芝,牛溲(牛尿,一说为车前草)马勃(马屁勃,菌类植物),败鼓之皮,俱收并蓄,待用无遗者,医师之良也。"后人遂形容极细微、不值钱之物也有用处,所谓"牛溲马勃"。

此外,"归马放牛"比喻战事结束,将士解甲归田,永息兵戈。"九牛一毛"言极多数中的一小部分。"九牛二虎"形容极大的力量。"吴牛喘月"形容过分地惧怕。"老牛破车"讥人力尽无能。

每逢农历的乙丑、丁丑、己丑、辛丑、癸丑年,都是牛年。

牛年春联

山花烂漫　　　　　马到成功日
铁牛奔驰　　　　　牛耕得意春
　　　（郭保中）

金牛亮相　　　　　丰稔黄牛志
大地开春　　　　　富强赤子心
　　　（王　昊）

金牛贺岁　　　　　开春迎紫燕
玉鼠回宫　　　　　敬业效黄牛

人逢如意事　　　　牛开丰稔景
牛舞艳阳春　　　　燕舞艳阳天

人勤春来早　　　　牛背飘春曲
草发牛更肥　　　　鹊舌报福音

人勤春到早　　　　牛耕千野绿
草发牛增肥　　　　鹊闹一庭春

子时春入户　　　　牛耕田野绿
牛岁福盈门　　　　鹊跃世间春
　　　（时　杰）

子鼠辞旧岁　　　　牛耕芳草地
丑牛贺新春　　　　鹊报吉祥年

牛耕肥沃地
虎啸太平年

牛铃飘翠岭
燕语暖春风

牛舞丰收岁
鸟鸣幸福春

丑时春入户
牛岁福临门

玉鼠辞旧岁
金牛迎新春

布谷迎春叫
牵牛接福来

岁首春到户
牛年福满门

欢度新春节
高歌小放牛

迎春牛贺岁
报喜鹊登门

（廖连娇）

金牛奔盛世
紫燕舞新春

金牛耕沃野
玉燕舞青天

（贾树桂）

金牛耕沃野
紫燕舞春风

金牛耕福地
紫气兆阳春

（唐北海）

金牛耕盛世
玉燕舞新春

（林应禧）

金牛腾盛世
紫燕舞阳春

（智廷兰）

夜草能肥马
生刍可壮牛

春来紫燕舞
节到黄牛忙

春如催战鼓
官似拓荒牛

（张　梧）

春丽牛逢草　　莺舞池边柳
月明马识途　　牛耕陌上春

春暖青牛跃　　铁牛耕绿野
山高碧水流　　金虎啸青山

春催布谷鸟　　黄牛耕九野
人效拓荒牛　　绿柳放三春

春新牛得草　　黄牛耕沃野
世盛国生辉　　紫气笼新春

草发黄牛乐　　黄牛耕绿地
春新紫燕歌　　白虎啸青山

（郭保中）

草绿黄牛卧　　黄牛耕绿野
松青白鹤栖　　猛虎啸青山

草暖青牛卧　　黄牛耕碧野
松高白鹤眠　　白首乐红楼

将军爱战马　　跃马迎春丽
农夫喜黄牛　　骑牛接岁丰

（刘逸城）

客岁送金鼠　　得失塞翁马
今年买铁牛　　襟怀孺子牛

紫燕寻旧主
金牛舞新春

瑞雪迎春到
金牛贺岁来

献丑休言丑
用牛要学牛
（凌一二）

催春布谷叫
报喜牵牛开

鼠去仓储静
牛来土地欢
（王希勃）

鼠去仓廪满
牛来稻谷丰
（李洪亮）

鼠去家留福
牛来地产粮

鼠去粮满囤
牛来地生金

鼠庆丰收岁
牛迎锦绣春
（孙洪德）

鼠趁三更去
牛驮五福来

鼠遁春风至
牛携喜气来
（草　野）

愿效黄牛力
尽抒赤子情

大地莺歌燕舞
农家马壮牛欢
（郭保中）

子岁先登富路
丑年再上新阶

玉鼠呈祥奏凯
金牛兆瑞迎春
（黄伟志）

鸟唤前山叠翠
牛耕九野铺金
（李路红）

紫燕欣寻旧主
金牛乐舞新春
（郭保中）

一曲牧歌传牛背
无边柳色绿村头

一犁春雨牛耕地
万丈豪情虎跃山
　　　　　　（吴岱宝）

十里丰田牛盖印
一川雪野虎描梅
　　　　　　（赵春贤）

丁年鼠喜辉煌业
丑岁牛奔旖旎春

人寿年丰百姓乐
地肥水美众牛欢

人寿年丰农户乐
地肥水美春牛歌

人物风流心向党
黄牛勤奋力耕田

人勤一世千川绿
牛奋四蹄万顷黄

人增福寿年增岁
鱼满池塘牛满栏

土生白玉牛羊壮
地产黄金鸡犬欢

川原蝶舞翩翩好
田野牛耕户户忙

山流新韵水流蜜
人奋壮心牛奋蹄
　　　　　　（林建中）

千里驰驱识宝马
一生勤勉羡黄牛
　　　　　　（邓焰如）

子去丑来腾锦绣
鼠归牛到竞辉煌

子夜钟声催漏尽
丑年花信报春归
　　　　　　（程秉绶）

马齿新增奔富路
牛肩未歇备春耕

丰稔岁中牛领赏
新台阶上步登高

天下花开白雪尽
人间春到黄牛忙

天好地好春尤好
牛多粮多福愈多

无人不恨官仓鼠
有口皆夸老黄牛
　　　　　（魏明德）

五岭莺歌又燕舞
九州马叫并牛欢

五鼠托来四海福
九牛送进十方财

中天星彩腾奎壁
大地人文射斗牛

牛马成群勤致富
猪羊满圈乐生财

牛主乾坤春浩荡
人逢喜庆气昂扬

牛伴青蛙鸣屋外
柳随紫燕舞楼前
　　　　　（钟华一）

牛角挂书迎喜气
梅香斗雪贺新春
　　　　　（吴岱宝）

牛奔马跃行千里
凤舞龙飞上九霄

牛奋四蹄铺绿锦
莺歌九域步康庄
　　　　　（石宏发）

牛郎弄笛迎春曲
天女散花祝福图

牛耕沃野千山笑
雪映红梅满院香

牛耕沃野千畦绿
鹊闹喜梅万朵红

牛耕沃野层层绿
鹊闹红梅朵朵香

牛耕沃野春色美
鹊闹红梅叫声甜
　　　　　（欧阳海洲）

牛耕沃野耘春色
犁耙桑田播福光
　　　　　（王　峰）

牛耕禹地千家富
日照尧天万里香
　　　　　（李柞忠）

牛耕绿野千山笑
雪映红梅万里香

牛耕绿野千畦秀
人值盛年万事亨

牛耕绿野千畦绿
鹊闹喜梅万朵红

牛耕绿野丰收岁
人迎佳年锦绣春
（郑敏光）

牛耕碧野千畦秀
人值盛年百事亨

牛耕碧野千畦秀
虎啸青山万岳雄
（程鹏达）

牛鞭当笔填新句
鸟语作歌报福音

反腐反贪除硕鼠
任劳任怨效勤牛
（江深根）

反腐安民消硕鼠
倡廉正世誉黄牛
（刘普昌）

仓无鼠患千家乐
地有牛耕五谷丰

为人不学官仓鼠
从政甘当孺子牛

为民当效黄牛力
报国应怀赤子心
（常振恒）

为民严打官仓鼠
报国甘当孺子牛

为官不做殃民鼠
执政甘当孺子牛
（曹树汉）

丑时福降勤劳者
牛岁春临幸福门
（杨　威）

丑到青天多紫燕
牛来绿野遍黄金
（朱凤林）

玉碗生光辉琥珀
金牛焕彩耀星辰

玉鼠回宫传捷报
金牛耕地涌春潮

玉鼠送年生玉竹
金牛纳岁架金桥
（覃钦大）

玉鼠留福千里秀
金牛报喜万家春
　　　　　　（杜正尧）

玉鼠循回腾紫气
金牛报道兆丰年
　　　　　　（姚金才）

世盛黄牛耕绿地
政通白虎啸青山
　　　　　　（郭保中）

巧剪窗花牛拱户
妙裁锦绣燕迎春

可染画牛牛得草
悲鸿放马马扬蹄

布谷鸟鸣忙布谷
牵牛花绽喜牵牛

旧俗已随鼠年去
新风正逐牛岁来

白头能做识途马
俯首甘为孺子牛

写完福字描春字
迎到金牛买铁牛

吉日生财牛拱户
新春纳福鹊登梅

老牛力尽丹心壮
志士年衰赤胆雄

有庆年头牛得草
无垠大道马扬蹄

有庆年华鹊报喜
无边田野牛耕春

有庆阳春莺报喜
无边沃野牛耕畴
　　　　　　（郭保中）

有福人家牛报喜
无边春色燕衔丰
　　　　　　（草　野）

当年禹甸多铜马
今日春郊遍铁牛

年丰人寿农吟曲
水美地肥牛放歌

年丰人寿家家乐
春到花开处处耕

阳春一曲迎牛到
日月两轮送鼠归

迎瑞金牛歌盛世
衔春紫燕弄先声
（杨志忠）

阳春一曲迎牛到
明烛两支送鼠归
（吴拱贵）

良策善方多俊杰
乳牛老骥竞风流

红梅傲雪千门福
碧野放牛五谷丰

雨洒绿畴牛作画
风摇玉树柳吟诗
（石宏发）

花开枝上白雪尽
春到人间黄牛忙

拓荒那顾自身丑
俯首甘为孺子牛
（孟凡国）

花木逢春枝叶茂
牛羊得草体膘肥

奋蹄愿做英雄马
俯首甘为孺子牛
（吴　冲）

花草丛中光景美
牧牛曲里暖春欣
（郭保中）

牧草丛中春色美
放牛曲里笑声甜

花香鸟语春无限
沃土肥田牛有功

牧童牛背春香路
游子马蹄梦醉乡

攻关不要胆如鼠
创业仍需劲似牛
（凌一二）

金牛开出丰收景
喜鹊衔来幸福春

时到亦归怀旧燕
春回好做拓荒牛

金牛贺岁千门喜
瑞雪迎春万象新
（肖义山）

金牛耕出辉煌业
热土铺开锦绣春
（李金明）

金牛埋首四蹄奋
紫燕恋春万里归

金光大道人催马
黄土田间牛绘春
（吴　冲）

金榜题名光耀第
喜牛拱户院生财

贪官如鼠万民恨
公仆似牛百代钦
（梁和平）

诚心乐做人间事
俯首甘为孺子牛

春日一犁牛作画
东风万剪燕裁诗
（草　野）

春牛喘月人恒敬
金虎啸风世独钦

春归大地黄牛跃
福到人间紫燕飞

春来喜看金牛壮
冬去笑迎玉燕归
（黄文坤）

春到人间新燕舞
喜盈门第铁牛忙

春临门户白雪化
福降人间黄牛忙

春耕秋种扶犁走
俯首扬蹄迓岁丰

革新不要胆如鼠
创业仍须劲似牛
（安红敏）

茧花绽放漫山绿
牛背飘来一曲歌

挺身莫做官仓鼠
俯首甘为孺子牛
（程鹏达）

挺身勇灭官仓鼠
俯首甘为孺子牛

神州无处不飞彩
农户有牛喜闹春

耕者有牛皆种地
神州无处不欢歌

铁牛拖出满山宝
茧手挖来遍地金

铁牛耕地地增产
科技兴农农聚财
（严国栋）

铁牛望月平畴绿
赤帜啸风满地红

俯首朴实无欲望
奋蹄奉献有精神
（王兴平）

躬耕垄亩孺牛志
尽瘁国家公仆心
（柴　逸）

黄土田间牛作画
紫薇春苑燕吟诗

黄牛吃草生新奶
紫燕衔泥筑小巢

黄牛喜耕黄土地
紫气萦绕紫薇春

黄牛舐犊芳草地
紫燕营巢杏花天

硕鼠已随除夕去
老牛正值立春来
（吴　冲）

盛世欢歌牛气在
新春畅想虎威生
（吴岱宝）

雪映红梅千山笑
牛耕碧野五谷香

银鼠才乘时雨去
金牛又借东风来

银鼠迎春春满院
金牛报喜喜盈门
（赵义柏）

银燕欢飞掀嫩柳
金牛阔步起新程
（崔钢兵）

猪肥牛壮家多福
食足衣丰民自安

猪肥牛壮家家乐
燕舞莺歌处处春

腊梅花放雪将尽
春水温升牛甚忙

紫燕衔春梁上闹
青牛播富垄中耕
　　　　　（樊泽民）

紫燕衔泥穿柳去
金牛乘月拓荒来
　　　　　（杨晓雁）

富裕农家牛满圈
和谐社会鼠无踪

献丑殷殷休说丑
效牛默默不吹牛
　　　　　（凌一二）

辞旧迎新除硕鼠
富民强国效勤牛

辞鼠修仓迎稻熟
催牛耙地促年丰

翠柳迎春千里绿
黄牛耕地万山金

横心誓扫官仓鼠
俯首甘为孺子牛

鼠去牛来田种谷
人勤春早地生金

鼠去牛来欣大治
龙腾虎跃奋新程

鼠去牛来闻虎啸
风调雨顺盼月圆
　　　　　（李伟坚）

鼠去牛来闻虎啸
民殷国富看龙飞
　　　　　（谢大年）

鼠去牛来闻虎啸
蛟腾凤起听龙吟
　　　　　（苏元章）

鼠去牛来闻虎啸
弊除利兴盼龙腾
　　　　　（丁仁厚）

鼠去牛来闻虎啸
民殷国富盼龙飞

鼠去牛来耕绿野
年丰人寿庆新春
　　　　　（孙皖樵）

鼠去牛来耕沃野
桃红柳绿贺新春

鼠去牛来臻盛世
莺歌燕舞庆新春
　　　　　（周承旺）

鼠辞旧岁仓常满
牛到新年地不荒
　　　　　（吴拱贵）

鼠去牛来辞旧岁
龙飞凤舞庆新春

鼠辞旧岁花铺地
牛步新春谷满仓

鼠年不做官仓鼠
牛岁甘为孺子牛

鼠嫁新娘传老话
牛耕绿野出黄金
　　　　　（黄建良）

鼠年政善春光满
牛岁人和喜气浓
　　　　　（李世儒）

鼠瘦民殷昌国运
牛肥廪实振家声
　　　　　（叶成兰）

鼠年谱就惊天曲
牛岁迎来动地诗

催牛犁地保丰稔
跃马扬鞭奔小康
　　　　　（周承旺）

鼠报平安归玉宇
牛随吉瑞下天庭

誓保耕牛吃夜草
不容仓鼠盗官粮
　　　　　（韩述本）

鼠姑已霸去年秀
牛劲还耕今岁春
　　　　　（白启才）

锦鼠飞天霞缀锦
金牛下地土生金
　　　　　（何移风）

鼠标点击和谐曲
牛市送来富贵春

新村喜盼铁牛到
农家笑望春燕飞

鼠毫健笔书成福
牛角深杯酒酿春

新春人唱黄牛赞
丰岁诗吟白雪歌

新春乐咏黄牛颂
小院频传喜鹊歌　　牛奋三春千山锦绣
　　　　　　　　　人勤四野五谷丰登
　　　　　　　　　　　　　（张国栋）

新春频写黄牛颂　　玉鼠回宫同歌大有
旭日高悬致富门　　金牛贺岁共步小康
　　　　　（草　野）

新春喜作黄牛颂　　玉鼠回宫欢歌大有
旭日高悬致富门　　金牛贺岁阔步小康
　　　　　　　　　　　　　（冯上鲁）

数声柳笛飘牛背　　玉鼠辞年留珍献宝
无限春光亮马蹄　　金牛贺岁种福播春
　　　　　　　　　　　　　（曹毅前）

数声牧笛传新曲　　灭鼠消灾粮丰人寿
四野耕犁试早春　　养牛致富国裕家康

碧树红楼相掩映　　鹊唱红梅三春艳丽
黄牛骏马共迎春　　牛耕绿野五谷丰登
　　　　　　　　　　　　　（周陆寿）

碧桃无意随春水　　喜看大地莺歌燕舞
黄犊有情鼓绿涛　　笑迎农家马壮牛欢

横眉冷对官仓鼠　　腐鼠归天九州富裕
俯首甘为孺子牛　　春牛贺岁五谷丰登
　　　　　（江深根）　　　　（邹元生）

不知索取只知奉献　　反腐惩贪痛打官仓鼠
勿问收获但问耕耘　　求真务实甘为孺子牛
　　　　　　　　　　　　　（杨济宽）

马壮牛肥山村添生气
人杰地灵门户沐春风

一年计划春为首首开新局
十二生肖鼠领先先立头功
（凌一二）

克己奉公不做官仓鼠
倡廉反腐甘为孺子牛
（叶成兰）

子鼠潜踪天宝物华歌稔岁
丑牛益世云蒸霞蔚庆新春
（尹春保）

喜鹊登梅百族迎佳节
金牛献瑞万里笑春风

害鼠清除万里晴春消永昼
铁牛传颂一轮明月耀长空
（曹国荣）

腊尽春归山村添喜气
牛肥马壮门户浴春风

游子归乡紫燕衔泥添喜气
金牛贺岁红桃沐雨漾春风
（李文君）

鼠去牛来一元欣复始
春明日丽万象喜更新

瑞雪迎春泽瑞江山千里翠
金牛贺岁风披华夏万民欢
（曹国荣）

庆丰年但愿官仓硕鼠少
讴德政殷期公仆孺牛多
（黄汉如）

辞鼠岁斥鼠性遇鼠应打鼠
迎牛年学牛劲当牛不吹牛
（东　白）

铁牛奔驰开辟康庄大道
春花烂漫装点锦绣前程

燕进新居归来贺岁频传喜
牛耕碧野不用扬鞭总奋蹄
（邹元生）

乐辞鼠岁处处丰收人人乐
歌颂牛年家家富裕户户歌

燕剪窗花新墨书联天作纸
牛犁乡土和风奏凯凤朝阳
（杜向明）

鼠岁报佳音市场兴旺迎胜利
牛年逢盛世人民幸福庆团圆

耕牛换铁牛科技繁花铺富路
后浪催前浪文明劲旅树新风
（熊尚鸿）

寅 虎

情趣洋溢的"虎谚"

谚语,有人说它是"智慧的花朵"。以十二生肖为内容的谚语数量众多,流传广泛,是广大群众所创造并喜闻乐见的富有生活气息和独特情趣的语言表达形式。如"龙生龙,凤生凤,老鼠生儿会打洞""牛不喝水不能强摁头""兔子不吃窝边草"……与老虎有关的谚语也十分丰富,不少谚语反映了虎的性格特征:勇猛、威武、凶暴,以致使人望而生畏。

如封建社会中的官吏,无论是生活在帝王身边的文臣武将,还是那些达官显贵的下属,凡事总得谨小慎微,遵从帝王或上级的意旨,必须视帝王国君或达官显贵的眼色并迎合其好恶行事,否则一不小心,一句看起来很平常的话,就会触怒他们,轻者有牢狱之灾,重者甚至斩首示众,诛夷九族。在官场或民间就流行着反映上述心态的谚语:"伴君如伴虎""老虎门下官难做"……

在人们的心目中,老虎是威严与权势的象征,有一派凛然不可侵犯的王者气度,是不可得罪的,也是惹不起的。于是民谚中就有这样的说法:"老虎的屁股摸不得""老虎的胡子谁敢摸""老虎未吃人,样子吓杀人"。

有些谚语表现了老虎的习性,以及它与人、环境、其他动物之间的某种特殊关系。前者如"老虎也有打盹的时候""老虎藏在洞里不显威风";后者如"前门拒虎,后门进狼""羊儿跑进虎群""老虎进了城,家家都闭门""好虎架不住群狼"……

有些谚语,绝大多数除了表面的具有比喻或象征性的浅层含义之外,还有其本质的深层含义,表现为或具有某种人生哲理,或揭示事物的本质特征,或是人们生活经验的总结,或者在这些谚语的背后潜藏着特殊的意味和生活的情趣。如:"老虎头上扑苍蝇""老虎头上搔痒""两虎相斗,必有一伤""羊披上虎皮,见到老虎还是害怕""羊跟老虎交朋友,总有一天会吃亏""猪给老虎拜年,有去而无归""苛政猛于虎""不入虎穴,焉得虎子""山中无老虎,猴子称大王"……这些谚语,都有弦外之音,言外之意,都具有言在此而意在彼的特点,有的就是寓言故事的概括与浓缩,是极为精湛的语言艺术。如上述的"羊披上虎皮,见到老虎还是害怕",这与汉代扬雄在《法言·吾子》中所述的"羊质而虎皮,见草而悦,见豺而战,忘其皮之虎矣"的寓言故事如出一辙,它们构思新颖,主旨深刻,都可以称得上是含意深刻的古训。

再如出自《后汉书·班超传》的"不入虎穴,焉得虎子",其语意并不深奥,是说,如果你不进入老虎居住的洞穴,就无法得到你想得到的小老虎。但是,这条谚语由比喻而引出的主旨却十分深刻,它告诉人们,你想实现自己的理想或达到某种目的,如果不冒风险,不付出艰苦的努力与实践,就不能取得成功和胜利,就不能如愿以偿,达到预期的目的。

虎是山中之君、百兽之王,人们爱虎又畏虎。因此人们也将虎视为凶猛、残暴的动物,民间有不少打虎的传说,出现了不少猎虎、打虎、射虎的猛将与壮士,从汉代射虎入石的飞将军李广,到黑旋风李逵为救母而杀虎、行者武松于景阳冈打虎……这些故事在今天看来,对于保护人类的生态环境,抢救并保护现已濒临绝种的老虎的现实而言,是反其道而行之的,是违法的。但是从这些故事的历史背景看,却反映了人类保护自己、免受虎害的社会现实。

老虎虽然威武凶猛,但也有英雄壮士不畏虎凶虎威,有勇气有胆量去打"虎",将"虎"与某种强权恶势联系起来,以英勇无畏之气魄去"打虎""斗虎""灭虎",这里的"虎"已不是自然界之虎,而是强权恶势力的象征了。寄寓人们上述心理或愿望的谚语也不少,如:"敢把皇帝拉下马,则老虎也得掰掉牙""老虎尾巴挂扫帚,威风扫地""狼怕鞭,虎怕圈,狗怕低头捡大砖""虎入陷阱,走投无路"……这说明,"虎"是可以征服的,也是不足为惧的;还说明,凶恶、残暴的"老虎",作为某种权势或权威的象征,它也会有"虎"死倒威的时候。

每逢农历的丙寅、戊寅、庚寅、壬寅、甲寅年,都是虎年。

虎年春联

人勤春早
虎劲年丰
　　　　（安愚勤）

牛开胜道
虎跃新春
　　　　（扶造雄）

牛迎国盛
虎布春和

牛张正气
虎振雄威

牛留鸿运
虎啸新风
　　　　（刘　斌）

牛耕人富
虎踞国威
　　　　（萧育民）

牛耕福地
虎跃丰年

民迎虎岁
雪舞丰年

（陈敏青）

牛耕绿野
虎啸青山

红梅贺岁
玉虎开春

（绿色森林）

牛辞劲在
虎到扬威

鸡声唱远
虎步登高

（杨逸民）

（李　渡）

牛辞胜岁
虎跃新程

虎年虎跃
龙域龙腾

（彭　捷）

风调雨顺
虎跃龙腾

金牛辞旧
乳虎迎新

（马庆友）

（郭保中）

方使牛劲
又添虎威

春风得意
虎气生威

（彭　捷）

龙人铺锦
虎步追春

春光万道
虎啸千山

（石春荣）

龙归华夏
虎跃新春

春盈瑞气
虎振雄风

（公　羽）

（龙玉林）

龙腾虎啸
腊尽春回

神牛更岁
金虎闹春

（罗冬祥）

一身牛劲足
八面虎威生

山岚呈虎性
春色暖人心

山清依水秀
虎啸傍龙吟
　　　　（郭保中）

千家飞虎步
万里胜龙庭

云中熊虎将
天上凤凰儿

牛去功还在
虎来劲又添

牛去劲犹在
虎来人更威
　　　　（王忠廷）

牛岁添牛劲
虎年振虎威
　　　　（柴　逸）

牛年瞻远景
虎岁祝长春
　　　　（胡应龙）

牛耕千里翠
虎越万重山

牛耕芳草地
虎跃艳阳天

牛耕荣百族
虎啸镇千魔
　　　　（高凤瑞）

牛辞芳草地
虎啸艳阳天

牛舞丰收岁
虎吟锦绣春
　　　　（柴　逸）

风起龙行雨
花开虎闹春
　　　　（邱　鑫）

丑牛伸正气
寅虎振雄风

龙子兴龙国
虎年振虎威
　　　　（邢伟川）

龙引千江水
虎越万重山

旧岁骑牛去
新春跃虎来

虎虎添生气
年年庆吉祥

（胡晓春）

时来花作雨
春到虎追风

虎威穿五岳
花艳绽三春

（刘时钊）

迎春频跃虎
励志更腾龙

虎胆英雄气
龙魂志士心

（王　杰）

宏谋抒虎啸
士气奋鹰扬

虎跃山河壮
春来日月新

虎年添虎劲
龙族振龙威

虎啸山林静
凤鸣气象新

（成兆丰）

（张　梧）

虎年添虎劲
新岁绘新图

虎啸风声远
龙腾海浪高

虎迎新世界
人改旧乾坤

承牛年好运
展虎岁雄风

（袁海顺）

虎劲冲天起
龙威蓄势来

春天春起色
虎岁虎生威

（成万丰）

虎奔新岁月
人改旧乾坤

春日春起色
虎年虎生威

春风刚入户
虎气更临门

鹏程添虎翼
骏业骜龙云
　　　　（彭善民）

春风催玉虎
瑞气促金龙
　　　　（朱国华）

锦春添虎翼
新纪展鸿图
　　　　（李路红）

春生十雨润
虎啸五风行
　　　　（刘时钊）

新岁兆新运
虎年添虎威
　　　　（公　羽）

威风惊百兽
啸傲肃山林
　　　　（孔祥经）

新年生虎气
祖国起龙图

昨日牛耕彩
今朝虎绘图
　　　　（何新建）

新春开虎步
华夏振龙威
　　　　（杨绮玲）

高崖伏虎啸
茅庐卧龙飞

道祖骑牛去
赵公跨虎来

盛世秧歌火
虎年富路新
　　　　（王留声）

燕返水花俏
虎来山势雄
　　　　（草　野）

雪闹丰年景
虎登紫气程
　　　　（薛国平）

山色能愉虎性
春光可暖人心
　　　　（郭保中）

腊鼓擂牛劲
青阳振虎威
　　　　（王诗森）

牛有拓荒风范
虎多创业精神
　　　　（赵永朴）

创业常留牛劲　　　　　　　人入虎年鼓虎劲
护疆永葆虎威　　　　　　　门添春色发春辉
　　　　　（熊建国）

虎岁频添虎劲　　　　　　　人入虎年添虎劲
龙人大振龙威　　　　　　　景添春色入春乡
　　　　　　　　　　　　　　　　　（黄建良）

虎跃龙腾气势　　　　　　　人民气魄如龙虎
莺歌燕舞春光　　　　　　　祖国江山似画图

虎跃龙腾碧海　　　　　　　人步虎年腾虎气
莺歌燕舞春风　　　　　　　地生春色播春芳
　　　　　　　　　　　　　　　　　（刘陆武）

虎跃龙骧鹏举　　　　　　　人间喜庆康平世
花明柳暗春浓　　　　　　　虎岁承欢幸福春

一元复始留牛气　　　　　　人怀虎胆英雄气
四序更新借虎威　　　　　　国显龙威璀璨图
　　　　　（孤云牧雪）　　　　　　　（马占云）

一代英豪生虎气　　　　　　人寿年丰牛送旧
三春杨柳动莺歌　　　　　　花香鸟语虎迎新
　　　　　　　　　　　　　　　　　（沈道一）

一代英豪添虎翼　　　　　　人和业旺宏图美
九州儿女显龙威　　　　　　虎跃龙腾春意浓
　　　　　（杨柏森）　　　　　　　　（邓胜翰）

一年好景牛辞岁　　　　　　人添志气虎添翼
万卷宏图虎入春　　　　　　国庆富强民庆春
　　　　　（黄佑发）

人添志气虎添翼
雪舞丰年燕舞春

人逢盛世精神壮
虎跃奇峰气势雄

人效黄牛心自贵
岁朝寅虎劲更高

人勤百世千川绿
虎奋四蹄万岭红
   （赵建红）

九天鹏举知牛气
一路梅开识虎威
   （黄佑发）

九野祝捷牛岁去
八方贺喜虎年来
   （卢允良）

大小场合休现丑
任何时候不吹牛
   （凌一二）

万丈豪情开虎步
千秋伟业展龙图
   （林间有道）

万里春风迎虎啸
一天丽日伴龙吟

才敛牛蹄耕晓月
又开虎步啸春风
   （王革非）

山河添锦除牛岁
冰雪生花迎虎年
   （郑　犟）

山明水秀风光丽
虎跃龙腾日月新

千载难逢新世纪
万民谱写虎春秋

门庭虎踞平安岁
柳浪莺歌锦绣春

门浴春风梅吐艳
户生虎气鸟争鸣

已飙牛劲千重锦
再展虎威万里香
   （周广林）

云喷笔花腾虎豹
雨翻墨浪走蛟龙

中华虎步虎添翼
古国龙骧龙跃空

牛去回眸观胜绩
虎来昂首展雄风
　　　　　（张伟志）

牛岁勤劳财进账
虎年威猛事成功
　　　　　（胡永平）

牛扬玉角八方醉
虎啸春风百姓安
　　　　　（聂瑞国）

牛年已鼓千番劲
虎岁再歌万里诗

牛岁才催千里马
虎年更上一层楼
　　　　　（朱士品）

牛年牛气弥牛市
虎岁虎风扬虎威
　　　　　（黄良炜）

牛岁已开千载业
虎年更上一层楼
　　　　　（李玉成）

牛年共谱腾飞曲
虎岁同歌奋进诗
　　　　　（刘任炳）

牛岁丰收牛奋劲
虎年胜利虎增威
　　　　　（卢少文）

牛年酣唱富民曲
虎岁豪吟祝酒歌
　　　　　（李轩才）

牛岁开樽斟竹叶
虎年宴客酌茅台
　　　　　（魏　寅）

牛年富有千家福
虎岁太平四海安

牛岁方辞牛劲在
虎年初至虎威随
　　　　　（高　扬）

牛行宝印颁金奖
虎绘梅花报吉祥
　　　　　（倪金玉）

牛岁刚饮祝捷酒
虎年又放报春花

牛壮奋蹄拉硬套
虎威长啸跃深山
　　　　　（张士忠）

牛岁耕耘结硕果
虎年开拓跃新程
　　　　　（贾发学）

牛劲一年今虎跃
阳春万里正莺歌
　　　　　（廖智慧）

牛劲莫随牛岁去
虎威应伴虎年来
　　　　　（董建新）

牛奋千程劲还在
虎迎五福运尤强
　　　　　（潘传忠）

牛奋千程荣盛世
虎驮五福贺新春

牛奋四蹄开锦绣
虎添双翼会风云

牛奋四蹄仓廪足
虎添双翼国家安

牛奋四蹄春泛彩
虎添双翼国生辉
　　　　　（李贵友）

牛奋四蹄耕沃野
虎添双翼跃神州
　　　　　（杨绮玲）

牛奋四蹄耕沃野
虎添双翼振神州

牛奋四蹄家致富
虎添双翼国腾飞

牛肥马壮丰收岁
虎跃龙腾大有年

牛肥马壮家家富
虎跃龙腾处处春

牛肥马壮辞牛岁
虎跃龙腾迎虎年
　　　　　（郭保中）

牛肩满载驮民福
虎步雄腾振国威
　　　　　（梁玉甫）

牛背笛声犹绕耳
虎年春色更遂心
　　　　　（高凤瑞）

牛耕大地铺金去
虎啸雄风着彩来
　　　　　（刘凤湘）

牛耕万亩黄金地
虎啸千山碧玉天

牛耕万顷群生饱
虎啸一声众鬼惊
　　　　　（熊震洋）

牛耕双获丰收果
虎吼专除不正风
　　　　　（刘逸城）

牛耕地沃千家乐
虎啸天青万里春
　　　　（成万丰）

牛耕沃土千村富
虎把雄关万户安
　　　　（聂培栋）

牛耕沃土千畴绿
虎啸深山万木春
　　　　（卜农生）

牛耕沃土牛添力
虎啸春山虎显威
　　　　（洪　荒）

牛耕沃土留青野
虎上春山展壮图
　　　　（赵　根）

牛耕沃野千川绿
虎跃春山万象新
　　　　（韩志荣）

牛耕沃野千畴熟
虎跃神州万里雄
　　　　（蓝振汉）

牛耕沃野天边走
虎步神州画里行
　　　　（周广林）

牛耕沃野扬长去
虎啸群山大步来

牛耕沃野怀牛劲
虎啸高山振虎威
　　　　（杨　威）

牛耕沃野金黄色
虎啸崇山葱绿图
　　　　（钟华一）

牛耕沃野建功去
虎跃高山迎福来

牛耕沃野辞祥去
虎别高山送福来
　　　　（张树春）

牛耕金地千家福
虎啸青山万里春
　　　　（邵　鑫）

牛耕禹地千家富
虎跃尧天四海春
　　　　（刘任炳）

牛耕禹甸千村富
虎啸神州万里春
　　　　（高菊生）

牛耕夏土添新绿
虎步阳春唤早红
　　　　（邢伟川）

牛耕绿野千仓满
虎啸青山万木荣

牛耕绿野千家富
虎啸青山九域春

牛耕福地农家乐
虎啸青山正气升
（张俊儒）

牛耕碧野禾苗壮
虎守青山草木荣
（林国庆）

牛耕碧野欣丰岁
虎啸青山喜报春
（李景成）

牛犁沃土嘉禾熟
虎啸平阳岚气生
（楼亚方）

牛添福气年年好
虎驾春风步步高
（朱小平）

牛趁三阳耕柳韵
虎添双翼啸春风
（谢仁辉）

牛遇牛年牛劲足
虎逢虎岁虎威增
（易先知）

牛登骏业留余庆
虎步鹏程启富春
（郑泽民）

牛勤踏出千畴茂
虎劲迎来百业兴
（李进维）

牛辞好景丰收岁
虎入宏图大有年
（邵　鑫）

牛慕朝朝春草绿
虎思岁岁艳阳红
（王占裕）

牛蹄永奋快如马
虎翼新添壮似龙
（薄　浪）

牛蹄盖印满畴宝
虎爪踏春一岭梅
（潘继洲）

山中虎啸林中日
崖上猿啼岭上风

为官莫做殃民虎
执政应当利国牛
（曹树汉）

丑牛身后全为宝
寅虎头前尽是春
（张树春）

丑去寅来人益健
牛奔虎跃春愈新

丑去寅来千里锦
牛奔虎啸九州春

龙骧灿烂已千里
虎步辉煌又一年
（成万丰）

丑旧寅新宏图展
牛归虎跃春意浓

旧岁鞭牛传捷报
新年伏虎展鸿猷
（凌一二）

去年牛力增邦力
今岁虎威振国威

处世休为笑面虎
做人莫学缩头龟
（凌一二）

（魏　寅）

龙行九域中华灿
虎报八方岁月香
（倪金玉）

四海三江春气息
千家万户虎精神

龙腾华夏千秋业
虎跃天枢万里春
（聂宗文）

四海龙腾抒壮志
千山虎啸振雄风

龙腾虎跃人间乐
鸟语花香天下春

四海欢歌迎虎岁
千家春酒颂丰年

龙腾虎跃人间景
鸟语花香大地春

四海笙歌迎虎岁
九州英杰跃鹏程

龙腾盛世祥云涌
虎跃神州瑞气临
（邱才扬）

乐居虎啸风生地
笑看龙腾云起时
（杨方德）

龙骧虎步跨新纪
凤集鸾翔展壮猷
（江深根）

白额金睛多正气
山鸣谷应展雄姿

百尺飞泉鸣震谷
一声长啸势惊天

岁入虎年增虎劲
人添神采壮神威
　　　　（单忠林）

年入虎年添虎劲
岁辞牛岁学牛勤
　　　　（魏　寅）

年到新春添虎劲
节辞旧岁效牛劳

年逢寅虎群情奋
岁别丑牛大地春

似水流年船破浪
如歌岁月虎生威
　　　　（吴岱宝）

交职金牛完重任
接班玉虎显神威
　　　　（陆焕球）

冲天牛劲危机解
震地虎威经济苏
　　　　（黄良炜）

兴伟业仍需牛劲
展宏图更壮虎威

汗牛已带穷愁去
金虎频添福寿来
　　　　（何子贞）

江山一统腾龙日
岁月三春入虎年

江山秀丽春增色
事业辉煌虎更威

守成当似下山虎
创业应如耕地牛
　　　　（赵克恭）

宅后青山金虎踞
门前绿水玉龙盘

红梅装点新春景
金虎激扬华夏风
　　　　（三省乎）

红梅报喜迎祥至
玉虎啸春送福来
　　　　（任家潮）

花事才逢花好日
虎年更有虎威风

花香鸟语千山秀
虎跃龙腾百姓欢
　　　　（刘锦隆）

赤县奔腾如虎跃
神州崛起似龙飞

攻关不做牛皮客
创业长为虎胆人
　　　　　（凌一二）

两岸三通生虎气
九州一统壮国威
　　　　　（龙玉林）

旷野牛鸣添喜气
神州虎啸动春风
　　　　　（邓焰如）

迎春节莺歌遍地
兴中华虎劲冲天

改革务要胆如虎
发展还须劲似牛
　　　　　（黄良炜）

改革春风牛献瑞
欢腾节日虎迎祥
　　　　　（颜　宾）

幸添虎气春图灿
再奋牛蹄福祉多
　　　　　（傅荣俭）

昔赞黄牛耕黑土
今观玉虎上青云
　　　　　（余文生）

英雄气概如龙虎
祖国江山似画图

英雄时代英雄业
龙虎精神龙虎年

势腾五岳群山动
威震九州四海惊
　　　　　（王　峰）

虎士扬鞭催骏马
龙邦迈步入强林
　　　　　（陈立春）

虎气虎年添虎劲
春风春色焕春晖
　　　　　（李辉煌）

虎气顿生年属虎
春风常驻户迎春

虎气频催翻旧景
春风浩荡著新篇

虎岁人人添虎胆
新春处处树新风

虎年赢得春风意
喜讯唤来燕子情

虎年虎气冲天曲
龙国龙人动地诗
　　　　　（何亮华）
虎年喜唱丰收曲
卯岁力开幸福泉
　　　　　（张　梧）
虎步奔腾开胜景
春风浩荡展宏图
虎步登山舒远目
挥毫泼墨绘新图
　　　　　（邵　鑫）
虎吼千山同着绿
牛耕九畹动归程
　　　　　（程秉绶）
虎虎生威腾紫气
人人创业展宏图
　　　　　（萧祥利）
虎视龙骧威四极
莺歌燕语闹三春
　　　　　（何子贞）
虎贺新春生虎气
龙腾古国壮龙威
　　　　　（蓝振汉）
虎莅神州兴百业
年丰华夏裕三农
　　　　　（黎权芳）

虎振雄风留浩气
兔迎盛世启新程
虎振雄风留浩气
兔迎盛世蔚新春
虎振雄威新岁里
龙骧正气早春头
　　　　　（章允芳）
虎跃山河多壮丽
春来日月更光辉
　　　　　（郭保中）
虎跃平原逐澍雨
春歌华夏荡和风
　　　　　（刘永清）
虎跃龙腾生紫气
风调雨顺兆丰年
虎跃龙腾民得意
莺歌燕舞国呈祥
虎跃龙腾夸改革
国强民富话升平
　　　　　（魏　寅）
虎跃龙腾兴特色
莺歌燕舞醉升平
　　　　　（曹复坤）

虎跃龙腾兴骏业　　　　　虎啸凶顽镇宇内
莺歌燕舞迈鹏程　　　　　燕传吉报慰人间
　　　　　　　　　　　　　　　　（杜向明）

虎跃虎年扬虎气　　　　　虎啸风生歌壮志
龙归龙国壮龙威　　　　　春喧柳舞展宏图
　　　　　（樊泽民）　　　　　　（陈荣权）

虎跃春山开画卷　　　　　虎啸龙吟歌世治
政和民意沐朝晖　　　　　鹊欢鱼乐颂时雍
　　　　　（张维社）　　　　　　（邵　鑫）

虎跃神州千业旺　　　　　虎啸青山山吐秀
春临盛世万民欢　　　　　牛耕沃土土生金
　　　　　　　　　　　　　　　　（江深根）

虎跃神州奔富路　　　　　虎啸青山千里锦
牛耕沃土起宏图　　　　　风拂绿柳万家春
　　　　　（宋　领）

虎添双翼前程远　　　　　虎啸青林千里翠
国展宏图事业新　　　　　牛耕绿野万山新
　　　　　　　　　　　　　　　　（华文光）

虎啸一声山海动　　　　　虎啸虎年增虎劲
龙腾三界吉祥来　　　　　龙兴龙国跃龙驹
　　　　　（王　超）　　　　　　（邓焰如）

虎啸大山山献宝　　　　　虎啸深山苏万物
龙腾祖国国扬威　　　　　人行正道集千祥
　　　　　　　　　　　　　　　　（张英群）

虎啸山林迎虎岁　　　　　虎啸深山荣万物
春催桃李笑春风　　　　　牛耕沃野满千仓
　　　　　（彭　捷）　　　　　　（李新勤）

虎啸密林风万壑
鹤眠翠柏月千岩

金牛奋蹄开锦绣
乳虎添翼会风云

虎啸雄风腾九域
春添喜气旺千家

金牛奋蹄奔大道
乳虎添翼舞新春
（曹海通）

虎毫染绿才十里
燕剪裁红又一年

金牛昂首高歌去
玉虎迎春敛福来
（杜向明）

虎添壮翼前程远
国展宏图事业新

金牛拉誉留财厚
玉虎踏春报喜多
（高玲慧）

虎震乾坤兴骏业
牛耕土地播春风

金牛送旧千家乐
玉虎迎新万户欢
（吴岱宝）

虎踞龙盘今胜昔
花香鸟语旧更新

金牛送岁促发展
玉虎迎春催改革
（喻年海）

国步虎年添虎翼
家归春燕泛春晖

金牛载福千仓满
玉虎开春万里红
（刘志杰） （王雪森）

狐借雄威惊百兽
虎添劲翼壮千秋

金牛探月巡天去
玉虎描春遍地来
（王兴平） （邹水龙）

金牛回首观春景
玉虎抬头眺富年

金牛辞岁千仓满
玉虎迎春百业兴
（崔钢兵）

金牛辞岁留丰果
银虎值年展旺春
　　　　　（龙玉林）

春光春色源春意
虎将虎年扬虎威

金牛辞岁寒风尽
白虎迎春喜气来

春回大地人心暖
虎跃神州善政多
　　　　　（严继明）

金虎扬威千业旺
新春盈瑞万民欢
　　　　　（龙玉林）

春回大地千祥至
虎啸神州百福临
　　　　　（无限风光）

放虎出山凭虎啸
乘龙归海起龙吟
　　　　　（凌一二）

春晓寅回人起舞
岁祯虎啸物昭苏

春风入户廉风在
虎气临门瑞气生
　　　　　（李德芬）

春雷巨响山河动
月夜旋风草木飞

春风回地千重锦
虎气冲天万象新

政策归心添虎劲
春风化雨驾牛耕

春风浩荡神州绿
虎气升腾岳麓雄

挂绿披红牛上榜
迎新辞旧虎生风
　　　　　（赵　根）

春风着意遂人愿
虎气生威壮国魂

皆称飞虎一身胆
不负英雄千古名

春节乍闻春有喜
虎年乐见虎生风

莺歌燕舞新春日
虎跃龙腾大治年

振兴百业鼓牛劲
驰骋八方逞虎威

致富脱贫添虎翼
开山治水展鹏程

黄牛虽去精神在
猛虎初来气象新

黄牛敬业开新宇
金虎兴邦焕媚春
（王占裕）

黄牛辞岁千重锦
玉虎迎春万象新

梅开雪艳牛辞岁
柳舞风和虎报春
（董云龙）

梅开雅韵题春景
虎啸雄风壮雪原
（彭肇开）

梅启朱唇谈虎岁
竹揖翠袖贺新年
（王留声）

梅萼怀春辞丑岁
杏花送俏入寅年
（严慎之）

乾元启运三阳泰
斗柄回寅万户春

盛世春风催化雨
神州虎步跃龙门
（孙林泽）

啸一声惊天动地
睁双眼照耀乾坤

唯大英雄能伏虎
是真俊杰敢擒龙
（刘逸成）

深山虎啸雄风在
绿野兔奔美景来

猛虎扬威张正气
红梅吐艳沐新风

骑牛捷报粮仓满
跨虎迎春富路宽
（谢俊才）

绿野春深禾碧涌
神州虎啸青山来

斑斓猛虎飞七彩
妩媚春光落九重
（草　野）

喜过牛年多喜事　　　　　辞岁金牛功赫赫
前瞻虎岁好前程　　　　　迎春玉虎乐融融
　　　　　（陈　良）　　　　　　　（程秉绶）

喜秉兔毫书伟绩　　　　　新天新地新春至
旗开虎岁笑春风　　　　　虎岁虎威虎运来
　　　　　（姚维芳）　　　　　　　（无限风光）

雄开虎步山河壮　　　　　新年报捷虎添翼
畅叙牛年意气豪　　　　　大路朝阳马奋蹄
　　　　　（郭保旺）

富路千条臻妙境　　　　　旗扬特色春潮急
虎春万象展宏图　　　　　虎跃新程喜事多
　　　　　（周森然）　　　　　　　（车秋鸣）

勤牛汗水民仓满　　　　　憨厚忠诚牛品德
猛虎雄风国势隆　　　　　高昂奋勇虎精神
　　　　　（张伟志）

鹊跃枝头频报喜　　　　　燕剪春风穿嫩柳
虎腾岳顶更生风　　　　　虎踏雪地印梅花
　　　　　　　　　　　　　　　　　（孟凡国）

辞旧不丢牛品质　　　　　蹄奋金牛开锦绣
迎新更振虎精神　　　　　云腾玉虎啸长风
　　　　（秦淮泛舟人）　　　　　　（傅贵宁）

辞旧岁不失牛气　　　　　天增岁月人添虎气
迈新程尤具虎威　　　　　春满乾坤寿载星辰
　　　　　（陈文荣）　　　　　　　（吴浩瑞）

辞岁金牛牛劲在　　　　　牛奔福地普天献瑞
啸春玉虎虎威生　　　　　虎卧华堂满院生辉
　　　　　（刘　库）

牛耕九野春潮涌动
虎啸八方捷报飞传
　　　　　（张国栋）

牛耕沃野繁花缀锦
虎啸青山硕果盈枝
　　　　　（李轩才）

牛辞旧岁力足千里
虎贺新年威壮九州
　　　　　（覃钦大）

送走牛年依然牛气
迎来虎岁越发虎威
　　　　　（凌一二）

势如破竹人欢马叫
安若泰山虎踞龙盘

虎跃龙腾九州焕彩
风调雨顺五谷丰登

虎踞三山昆仑起舞
龙盘四海华夏腾飞
　　　　　（黄国富）

虎啸龙腾山欢水笑
鸢飞鱼跃海阔天空
　　　　　（沙俊清）

虎啸松声千山雪落
燕衔柳色万里春归
　　　　　（杜向明）

虎啸新村花荣华夏
春融大地日照锦乡
　　　　　（王郁文）

金牛奋力稻粱丰稔
斑虎扬威禹甸昌隆
　　　　　（黄英浩）

金牛辞岁百族咸瑞
玉虎报春九域增威
　　　　　（王德龙）

春风浩荡花香鸟语
岁月峥嵘虎跃龙腾

春恋神州虎年乐业
花香盛世燕子寻巢
　　　　　（杜向明）

政惠三农龙行喜雨
联红万户虎啸新风
　　　　　（邵　鑫）

祖国富强生龙活虎
人民幸福舞燕飞莺

铁牛已把乾坤耕绿
金虎要将日月啸红
　　　　　（龚道明）

俯首金牛心存大地
昂头玉虎志在高天
　　　　　（龚道明）

紫气东来江山如画
红旗招展龙虎扬威

辞旧岁欢咏黄牛颂
迎新年喜歌猛虎吟
（谷　洪）

旗耀五星万民同乐
山腾百虎四海回春
（阙文彬）

人奋牛勤喜获丰收果
龙腾虎跃欣登壮丽程
（胡盛海）

牛奋四蹄自觉时光急
虎生双翼敢为天下先
（胡宗伯）

牛耕沃野犁出文明路
虎跃新程拓开尧舜天
（庄温英）

白虎替青牛招财进宝
黄莺鸣翠柳辞旧迎新

岁月逢春山河添锦绣
人民思治龙虎振精神

华夏腾飞大鹏展羽翼
民族崛起猛虎显神威

花团锦簇江山添异彩
虎啸龙吟华夏壮神威

虎胆虎威虎岁添双翼
春风春雨春天醉满园
（黄文镇）

虎跃龙腾九域春光好
风清日暖八方景色新
（邓胜汉）

虎跃龙腾有天皆丽日
花香鸟语无地不春风

虎跃龙腾创人间奇迹
莺歌燕舞描大地春光

虎榜试题蟾宫谁首诣
龙舟竞渡彼岸我先登
（赵学渊）

金牛辞旧携凯歌而去
乳虎迎新带捷报以来

金牛辞岁携凯歌而去
乳虎迎春带捷报以来

金牛耕碧野仓丰廪裕
神虎啸青山柳绿桃红
（祖袭尧）

春到人间虎虎有生气
日煊赤县熊熊炳国威

虎毫蘸瑞润绿三春画卷
燕尾裁福贴红万户门庭
　　　　　　　（杜向明）

春到人间虎虎添生气
日临华夏熊熊炳壮姿
　　　　　　（草　野）

乘春雨春风播遍地春色
鼓虎年虎劲创惊天宏图

祖国腾飞大鹏振羽翼
宏图再展乳虎显神通

继往开来创业仍需牛劲
鼎新革故攻关全仗虎威
　　　　　　　（凌一二）

绘十里春光神州亮彩
话一年喜事华夏呈祥
　　　　　　（杜向明）

小试牛刀好戏连台开泰运
大张虎胆新程迈步焕尧天
　　　　　　　（张维成）

效虎豪吟放怀歌富岁
闻鸡起舞挥笔颂春光

日月增辉喜事连连牛劲在
江山如画凯歌阵阵虎威扬
　　　　　　　（石廷秀）

瑞雪兆丰年年年大吉
丑牛接寅虎虎虎生威

牛气不息牛奋四蹄如马跃
虎声长啸虎添双翼胜鹏飞
　　　　　　　（凌一二）

庆虎岁把酒高吟虎跃曲
祝丰年扶犁又唱丰收谣

牛气蓬勃事业兴隆结硕果
虎威抖擞春风浩荡展新猷
　　　　　　　（彭善民）

迎虎年敢逐改革拦路虎
送牛岁勇当奉献老黄牛

牛岁呈祥九州闪亮丰收景
虎年竞秀两岸相辉棠棣花
　　　　　　　（李　度）

迎新春处处呈文明气象
入虎岁人人当改革先锋

牛年虽去世间尚有牛皮客
虎岁方来路上早逢虎胆人
　　　　　　　（凌一二）

牛年喝彩科学实施新跨越
虎岁扬威和谐发展大提升
（李东雄）

牛奔盛世莺歌燕舞和谐曲
虎跃新春李白桃红绚丽图
（李东雄）

牛奔绿野四季耕来千亩实
虎吼青山一声唤醒九州春
（符景兰）

牛拓荒原俯首无言甘喘月
虎巡峻岭仰天长啸喜催春
（谢俊才）

牛耕广野丑年犁出文明路
虎跃深山寅岁拓开尧舜天

丑岁田丰耕春种夏凭牛劲
寅年国泰创业兴家展虎威
（谢俊才）

玉牛含笑经济危机随我去
金虎送欢科学发展伴春来
（熊建国）

四海龙腾富裕掀潮三尺浪
九州虎跃和谐引路一帆风
（碧虹）

尽职知时虎尊无忌为牛后
为民谋福人杰何妨做马前
（李必才）

怀旧金牛心恋三农芳草地
迎新玉虎情钟二月杏花天
（谢俊才）

虎岁呈祥再展虎威兴百业
牛年报喜重施牛劲富全民
（甘荫村）

虎庆新春虎跃龙腾兴伟业
莺鸣盛世莺歌燕舞起宏图
（谭宗元）

虎步龙骧一代英才造气势
鹏飞鲲击千年古国炳新姿

虎胆频添归林呼啸山川动
龙睛细点破壁腾骧宇宙惊
（孟俊）

虎跃龙腾一代英雄造时势
山明水秀万里春色泛桃花

虎跃龙腾华夏人民多俊杰
莺歌燕舞阳春山水尽朝晖

虎跃龙腾合浦珠还辉玉宇
莺歌燕舞碧空日丽灿神州
（祖袭尧）

虎跃龙腾碧海青山装玉宇
莺歌燕舞阳春丽日蔚神州

虎跃龙腾碧海黄山装玉宇
莺歌燕舞春风旭日蔚神州

虎啸一声战鼓催春春意闹
香飘四海神州铺锦锦花添
（刘国祺）

虎啸雄风三山五岳峥嵘气
莺歌盛世万紫千红烂漫春
（修山人）

虎踞险峰虎岁攻关凭虎跃
龙腾大海龙人破浪任龙吟
（凌一二）

奋力开塙牛绩长铭牛逊位
精心添翼虎威大展虎升堂
（李焕黄）

金牛辞岁百业腾飞添异彩
玉虎迎春九州发展焕新颜
（王文刚）

春风春色焕春晖春吟雅韵
虎气虎年添虎劲虎跃新程
（李东雄）

春回大地九州生态翻新景
虎啸雪原五月科学展巨篇
（萧育民）

春光无限又有春天新故事
虎气有加再书虎岁大文章
（黄佑发）

春到人间杨柳随风频摆手
虎来盛世翁童报喜并开颜
（张树春）

政惠九州中华乘势腾云起
虎添双翼大业逢时与日增
（张杰安）

勇闯虎山虎贲虎将凭虎胆
畅游龙海龙子龙孙奋龙威
（凌一二）

栽竹栽松竹隐凤凰松隐鹤
培山培水山藏虎豹水藏龙

笑庆牛年九州喜展和谐景
乐迎虎岁百姓欢欣绚丽图
（熊建国）

梅开两岸和谐社会和谐景
虎啸千山欢乐神州欢乐春
（刘永清）

鸿运当头牛蹄扫去危机景
祥云捧日虎尾捎来旺业春
（熊建国）

喜燕子安居欢唱一年喜事
看虎儿入画纵横十里春光
（杜向明）

跨虎送财财神永驻勤劳户
荷锄种玉玉树长生和睦家
（谢俊才）

牛年虽过去牛劲更增多奉献
虎岁喜临门虎威大振有精神

雪动一帘香红梅兆福迎春虎
风调万点绿碧草莹辉谢孺牛
（戴国荣）

丑岁建奇功香港回归昌国运
寅年兴大业宏图展现壮情怀

寅时入虎年十亿人民振虎劲
佳节描春色九州大地荡春潮

红梅开富贵万里神州牛得草
喜鹊叫祥和千秋华夏虎生风
（米显恩）

辞牛岁美酒飘香祝繁荣盛世
迎虎年华灯焕彩照锦绣前程
（吴康华）

虎年喜虎劲攻关夺隘皆如虎
春节焕春光绣水描山总是春

燕子剪春窗花亮彩千家万户
虎儿贺岁年画呈祥万水千山
（杜向明）

金牛摆尾犁万顷良田翻垄浪
玉虎抬头踏千山翠色啸春烟
（朱东坡）

虎啸青山壮国威盛世辉煌开胜景
莺鸣翠柳增春色东风荡漾谱新篇
（李文君）

大地回春敲锣擂鼓火树银花迎虎岁
长天启泰结彩张灯欢声笑语贺新春

（吴康华）

忆旧岁牛劲冲霄汉神鞭一指神州巨变
看今朝虎威壮中华众志成城经济腾飞

凤翥龙翔庆人寿年丰不忍金牛离任去
麟欢鱼跃看张灯结彩喜迎银虎踏春来

（潘继洲）

威虎镇金瓯海晏河清国泰神州歌盛世
猛龙腾玉宇风调雨顺民殷华夏喜和谐

（黎权芳）

卯 兔

兔文化趣谈

"兔"字在中国是一个美好的字眼。它与人类的生命、人们的美好愿望紧密相连。

"兔",是动物兔的象形字。汉代许慎《说文解字》解释说:"兔,兽名,象踞后其尾形。"其甲骨文、篆文描画的正是兔的长耳短尾形象。

由"兔"字派生出的汉字并不多,但都很有特点。

例如,"逸"是一个会意字,兔子跑得快称为"逸"。《说文解字》等书都认为"逸"字意为"失也",表示兔子"善逃"。这表明,兔子是当之无愧的长跑冠军。于是又有"奔逸""逃逸""逸失""游逸""隐逸""安逸""逸闻""超逸"等词汇。

三个"兔"字叠在一起组成一个汉字,意为"疾也",表示跑得飞快的样子。

"冤"字则是替善良的兔子"鸣冤叫屈"的意思。《说文解字》解释说:"冤,屈也。"意为兔子在网罗栅栏之下,不能逃脱,不能舒展,只有屈从,引申为冤屈。于是有"冤枉""鸣冤""申冤""不白之冤"等一系列词语。可见,可爱的兔子最值得人们同情。

"兔"与"菟"相通。"菟"就是牵藤寄生的草本植物"菟丝",也叫"菟丝子",又名"女萝",或写作"兔丝"。

"兔"字添"土"旁为"堍",指桥梁两端靠近平地的部分,即上桥之处。

"兔"与十二地支中的"卯"对应,汉代王充《论衡》说:"卯,兔也。"二者组成我们的生肖"卯兔"。"卯"的本字描画的是草木出土萌芽的形象。《说文解字》说:"卯,冒也。二月,万物冒地而出。"因此,"卯"表示春意,代表黎明,充满着无限生机。

每逢农历的丁卯、己卯、辛卯、癸卯、乙卯年,都是兔年。

兔年春联

人欢盛世	金龙献瑞
兔乐丰年	玉兔衔春
（周明荣）	（贾　岳）

虎年百好	金莺织锦
兔岁千祥	玉兔迎春
（周明荣）	（梁高泰）

金乌活跃	兔回大地
玉兔机灵	日暖神州
（郭保中）	（郭保中）

金乌献瑞	莫当兔尾
玉兔呈祥	敢捋虎须
（邓心英）	（胡季初）

金龙喜舞	丁年歌盛世
玉兔欢腾	卯兔跃中华
（郭保中）	

人人福气旺　　　　卯门生喜气
户户兔年欢　　　　兔岁报新春
　　　（孔春枝）

九天降玉兔　　　　卯门生紫气
四海绽红梅　　　　兔岁报新春
　　　（谢五八）

玉兔迎春至　　　　卯年葵向日
黄莺报喜来　　　　兔岁柳成荫

玉兔迎春到　　　　灯楼灿玉兔
红梅祝福来　　　　火树暖金蟾

玉兔迎春到　　　　红梅迎岁笑
黄鹂报喜来　　　　玉兔伴娥欢
　　　（杨树林）

玉兔迎新岁　　　　红梅迎雪放
黄莺唱喜歌　　　　玉兔踏春来
　　　（杨宏林）

玉兔送冬去　　　　红梅迎雪笑
金龙献瑞来　　　　玉兔出宫欢
　　　（王　颖）

玉兔蟾宫降　　　　红梅迎雪笑
春风大地生　　　　玉兔伴春来
　　　（谢五八）

白兔夸春景　　　　红梅迎雪笑
红桃贺瑞年　　　　玉兔报春归

红梅香小院
玉兔下人间
　　　　（武长年）

花荣莺报喜
草茂兔娱春
　　　　（邓林森）

灵兔启新岁
吉星照锦程

虎去花铺地
兔来月照天

虎去劲犹在
兔来春又回

虎去威犹在
兔来运更昌

虎去雄风在
兔回好运来
　　　　（韦孟记）

虎去雄风在
兔来好运兴
　　　　（齐培礼）

虎去雄风在
兔来喜气浓

虎去雄风在
兔来瑞气生
　　　　（罗启英）

虎去雄威在
兔来健步飞
　　　　（唐金标）

虎归山海静
兔出月人圆

虎归四野静
兔跃万山欢
　　　　（丁　苏）

虎归深谷岭
兔出广寒宫

虎岁国威振
兔年民气豪
　　　　（彭　捷）

虎岁家家乐
兔年处处春
　　　　（李朝阳）

虎年开泰运
兔岁发洪财

虎欢迎瑞雪
兔笑舞新梅
　　　　（陈乃新）

虎声传捷报
兔影抖春晖

虎奔千里锦
兔报九州春

虎威惊盛世
兔翰绘新春

虎恋丰收岁
兔奔大有年
　　　（丁学锋）

虎跃前程去
兔携好运来
　　　（李湘泰）

虎啸小康日
兔迎大有年
　　　（熊训模）

虎啸传捷报
兔腾绘画图
　　　（郭保中）

虎啸青山秀
兔奔碧野宽

虎腾紫紫气
兔跃驾祥云
　　　（王　峰）

金鸡争唱晓
玉兔喜迎春

金鸡迎曙色
玉兔揽春光

金虎归山去
玉兔迎春来

兔归月影笑
花绽春光妍

兔归皓月亮
花绽春光妍

兔岁添福气
龙人奋锦程

兔年春似锦
庭院德为邻

兔来春草绿
虎去惠风生

兔毫书盛世
大地绘宏图

　　　（杨树林）

　　　（寇利群）

兔毫描彩卷
禹甸启鸿猷

蟾宫降玉兔
庭院绽红梅

（黑耿璃）

兔携瑶光至
春随暖气来

日暖神州万里
兔归大地一新

（白启才）

（郭保中）

兔舞团圆月
人歌幸福春

虎去犹存猛劲
兔来更显奇才

（葛贤能）

放歌迎玉兔
把酒醉梅花

虎去犹留猛劲
兔来更显捷才

（葛贤能）

春风方入户
玉兔早临门

虎啸凯歌一曲
兔奔喜报九州

春随新岁至
兔送小康来

春自卯时报起
福由兔口衔来

耕田能获宝
养兔不守株

春自金梅传到
福由玉兔迎来

（彭　捷）

新春迎玉兔
华夏壮金瓯

春自寒梅报起
年从玉兔迎来

蟾宫生玉兔
小院绽红梅

送虎岁山河壮
迎兔年业绩新

（郭保中）

猛虎击掌给力
玉兔奋蹄腾飞

八方祥瑞虎威远
万里清辉兔魄圆

九九蟾宫奔玉兔
泱泱华夏舞金龙
　　　　（莫敏武）

万户金鸡争唱晓
九霄玉兔乐迎春
　　　　（郭保中）

万户金鸡争唱晓
九霄玉兔喜迎春

万户金鸡啼禹甸
九霄玉兔降人寰
　　　　（祖袭尧）

万里春风拂碧野
九天玉兔送清辉
　　　　（吴岱宝）

山中虎啸昌新运
月里兔欢启壮图

门户临风迎福入
高楼接兔纳祥来

月中玉兔临凡界
陌上金鸡报晓春

月里嫦娥舒袖舞
人间玉兔报春来
　　　　（解维汉）

月圆天上人圆梦
鸟乐枝头兔乐林
　　　　（汪从周）

月照蟾宫行玉兔
天飞骏马唤春风

月照蟾宫奔玉兔
天行骏马啸春风

玉户临风迎兔入
高楼揽月接春来

玉兔下凡增秀色
嫦娥守月浴春辉
　　　　（宋良才）

玉兔开春芳草绿
小康入户对联红
　　　　（张培成）

玉兔月中司玉杵
金蜂花下度金针
　　　　（周玉珊）

玉兔月中勤捣药
金牛地上恪耕田

玉兔月中勤捣药
金牛背上好吹箫

玉兔出宫盈福气
金鸡司晨浴朝晖
　　　　　（方国礼）

玉兔机灵承虎气
金乌活跃显狮威

玉兔当班增百福
春风送暖赐千祥
　　　　　（邹元生）

玉兔传情情更烈
红梅达意意犹长
　　　　　（刘娇莲）

玉兔行天天不夜
红星耀地地长春
　　　　　（江深根）

玉兔行天天不夜
金乌照地地长春

玉兔巡天辉玉宇
金乌着地耀金瓯
　　　　　（杨楚银）

玉兔欢奔芳草地
金乌腾跃碧云天

玉兔呈祥千里锦
金龙兆福万家欢
　　　　　（郭凤朝）

玉兔呈祥家家乐
金龙兆瑞步步高

玉兔迎春春入户
金莺报喜喜临门

玉兔奔临欢玉宇
金乌腾跃灿金瓯
　　　　　（凌一二）

玉兔报春田野绿
金鸡唱晓艳阳红

玉兔迎来春烂漫
金乌照耀国辉煌
　　　　　（王秉武）

玉兔闹春春潮动
万民造福福音多

玉兔热身追虎步
雪梅含笑护花丛
　　　　　（孙林泽）

玉兔值年开国泰　　　　卯至东方蓬勃日
金龙贺岁护民安　　　　兔来华夏振兴时

玉兔悬天天降玉　　　　卯时美景花方艳
金乌耀海海生金　　　　兔岁良辰酒更醇
　　　　　（俊　君）

玉兔毫光生紫气　　　　卯时晨景桂芳馥
金龙捷足入青云　　　　兔岁良宵月正圆

玉兔遥从天国降　　　　卯时敲起三春鼓
神州欢庆富春归　　　　兔口衔来百福花

玉树临风邀兔赏　　　　卯酒入肠人不醉
高楼揽月接福来　　　　兔毫挥墨笔出神
　　　　　　　　　　　　　　（胡平贵）

龙跃兔奔开泰运　　　　当年玉兔传花信
人勤春早谱华章　　　　今日春风壮物华
　　　　　（彭国华）　　　　　（胡心焱）

东升玉兔华光艳　　　　岁首喜看玉兔跃
崛起神州国色新　　　　耳边犹有金龙吟

东风放虎归山去　　　　争当折桂屠龙手
明月探春引兔来　　　　不做守株待兔人
　　　　　　　　　　　　　　（贺考祥）

东方日出金乌艳　　　　庆玉兔今年奋起
岁末月升玉兔皎　　　　祝金龙明岁腾飞

齐赞红梅迎雪放
欣逢玉兔踏青来

农家喜写迎春对
兔笔欣描致富图
　　　　　（邹元生）

红梅斗雪开新局
玉兔催人步小康
　　　　　（石心泉）

红梅瑞雪迎春到
玉兔嫦娥报喜来
　　　　　（周明荣）

赤兔腾空添瑞气
黄莺闹柳涌春潮
　　　　　（陈凤桐）

报喜佳音随兔至
回春消息伴风来
　　　　　（邵　鑫）

迎春兔赐小康福
辞岁虎吟盛世歌
　　　　　（熊书干）

雨润草原迎兔至
风摇柳线引春来
　　　　　（石道达）

虎气驱邪张正义
兔毫洒墨扫歪风

虎去兔来腾瑞气
莺歌燕舞涌春潮
　　　　　（何继凤）

虎去家家欣致富
兔来处处喜迎春
　　　　　（郑敏光）

虎去雄风惊五岳
兔开健步跃三江

虎去雄风惊五岳
兔生瑞气秀三春

虎目雄风驱腐败
兔毫彩笔颂清廉
　　　　　（孙德孚）

虎归山谷雄风在
兔至人间喜气生
　　　　　（彭　捷）

虎归山谷雄风劲
兔至神州瑞气临

虎归峻岭威犹显
兔跃人间爱更浓
　　　　　（王大林）

虎过关山添活力
兔攀月桂浴春辉

虎岁工农歌大治
兔年莺凤唱新声
　　　　（白启才）

虎岁才抒千里目
兔年更上一层楼
　　　　（周家钧）

虎岁才圆除夕宴
兔年又放报春花

虎岁丰收兔岁稔
巨龙腾起小龙飞
　　　　（孙皖樵）

虎岁回眸传捷报
兔年开局展雄风
　　　　（韩玉兰）

虎岁刚吟祝捷曲
兔年又放报春花

虎岁扬威兴骏业
兔年献彩立新功

虎岁扬威兴骏业
兔毫着彩绘鸿图

虎岁凯歌盈九域
兔年喜讯报千家
　　　　（郭克昌）

虎岁频斟祝捷酒
兔年怒放报春花
　　　　（李广荣）

虎回山谷雄风在
兔出月宫好景来
　　　　（戚万丰）

虎年三十爆竹脆
兔岁初一对联红
　　　　（郭保中）

虎年已去春风暖
兔岁乍来喜气浓

虎年刚饮祝捷酒
兔岁又开报喜花
　　　　（郭保中）

虎年喜结丰收果
兔岁欣开幸福花

虎年辞旧家家喜
兔岁迎新处处春
　　　　（罗启英）

虎收残雪苏千树
兔引和风暖万家
　　　　（黄有端）

虎兴壮志冲天起
兔挟春风送福来
　　　　（马非白）

虎走三关鸡报晓　　　　　　　虎尾回头添胜利
兔升九域鹿鸣春　　　　　　　兔毫扎笔写风流

虎走兔奔更岁月　　　　　　　虎奔千里留雄劲
晴耕雨读著春秋　　　　　　　兔进万家报吉祥
　　　　　（尹登云）

虎步长驱新世纪　　　　　　　虎披晓月驱灾去
兔毫畅写大文章　　　　　　　兔沐朝阳引福来
　　　　　（卢治国）　　　　　　　　　（崔钢兵）

虎步丛林巡岗去　　　　　　　虎威永在兴华夏
兔追芳草抱春来　　　　　　　兔岁常安享吉祥
　　　　　（邱戎华）　　　　　　　　　（韩　波）

虎伴财行千里路　　　　　　　虎胆刚开新局面
兔随富上万重天　　　　　　　兔毫又写大文章
　　　　　（陈光生）　　　　　　　　　（马庆友）

虎伴祥云祈福祉　　　　　　　虎胆英雄兴骏业
兔随紫气荡春风　　　　　　　兔毫彩笔绘鸿图
　　　　　（植锡来）　　　　　　　　　（凌一二）

虎伴梅腮辞旧岁　　　　　　　虎载满车收拾去
兔开笑脸步新元　　　　　　　兔操春杵上工来
　　　　　　　　　　　　　　　　　　　（李士玉）

虎伴群山留浩气　　　　　　　虎振雄风山上去
兔奔千里报新春　　　　　　　兔衔喜报月中来
　　　　　（瞿功印）　　　　　　　　　（余掖庭）

虎返深山辞旧岁　　　　　　　虎振雄风歌盛世
兔来大地接新年　　　　　　　兔欢时雨报平安
　　　　　（汪长祥）

虎振雄风留浩气
兔迎盛世启新程

虎啸一声辞岁去
兔腾千里踏春来
（任本良）

虎振雄风留浩气
兔迎盛世蔚新春

虎啸三冬滑雪去
兔脱九野踏春来
（陈　良）

虎颂和风搏世界
兔衔春色到人间
（黄永君）

虎啸山林星斗转
兔辞月窟物化新
（吴惜奇）

虎被褥铺雄将椅
兔毫笔写状元坊

虎啸千山雄劲展
兔驰万里壮图新
（周明荣）

虎留猛劲开时运
兔引和风铺锦春
（唐子春）

虎啸长天迎旭日
兔腾绿野报春晖
（王勤学）

虎留鸿运辉煌业
兔笑春风璀璨程
（阮庆贤）

虎啸龙吟歌盛世
兔欢狮舞庆新年
（陈燕新）

虎眼圆睁除腐败
兔轮高照放光明

虎啸红梅迎雪舞
兔奔紫燕伴春来
（徐永成）

虎跃千山歌遍地
兔腾四野笑盈天
（刘永清）

虎啸青山辞旧岁
兔奔大地庆新春

虎跃龙腾奔富路
鸟飞兔走上新阶
（熊训模）

虎啸兔奔同贺岁
桃红柳绿各争春
（钱太兴）

虎啸和风辞旧岁
兔欢时雨贺新春

虎隐深山辞旧岁
兔迎佳节闹新春
（李存哲）

（周明荣）

虎啸罡风惊五岳
兔驰健步跃三江

虎越雄关踪影去
兔临春境晓光新

虎啸深山震五岳
兔临市场富千家
（常东升）

虎辞旧岁邀功去
兔贺新春报喜来

虎啸深林增瑞气
兔驰沃野益新风

虎歌盛世千家富
兔舞新年百姓欢

虎啸群山辞旧岁
兔奔匝地庆新春

虎榜新风腾紫气
兔毫雅韵颂春晖
（黄庆易）

虎隐山林丰绩在
兔临原野吉祥增
（杨志华）

虎踏梅花辞旧岁
兔开笑眼迎新元
（陈旭旦）

虎隐仙山留喜庆
兔腾宝地兆祯祥

明月探春攀桂树
玉毫着彩绘宏图
（杨　威）

虎隐深山因养锐
兔临人世为招祥
（黄有端）

欣逢兔跃开新境
喜望龙腾展画屏
（贺考祥）

虎隐深山雄风在
兔奔绿野春色浓
（徐世攀）

金杯醉酒乾坤大
玉兔迎春岁月新

金鸡高唱年成好
玉兔欢腾景色新
　　　　（李贵和）

金鸡唱晓开新运
玉兔迎春展锦图
　　　　（刘玉文）

金虎腾跃风流世
玉兔笑迎锦绣春

兔开健步迎新纪
虎振雄威啸远山
　　　　（李新勤）

兔年春到东风暖
华夏旗开西部新
　　　　（杨树林）

兔奔千里传春信
龙起九霄壮国威

兔奔千里传春信
龙跃九州壮国威

兔带佳音传九域
虎留锐气震千山
　　　　（胡盛海）

兔捣灵丹医世病
龙行时雨润心花
　　　　（普正富）

兔捣灵丹医百病
龙行杏雨润千山

兔跃千山传喜讯
龙腾万里展英才

兔衔绿叶迎春到
龙吐红云贺岁来
　　　　（杨春林）

兔毫挥写英雄史
春雨浇开幸福花
　　　　（卜农生）

兔毫蘸彩皴春画
旭日穿霞染地红
　　　　（孟凡国）

兔魄常圆花正好
阳光普照景常春

兔影常随春意暖
鹊声高唱富民歌
　　　　（杨良友）

兔镜常圆人盼好
龙甲时耀国期安

春风好意吹千里
玉兔多情照五洲
　　　　（朱广林）

送虎岁山河壮美 深山虎啸雄风在
迎兔年业绩辉煌 绿野兔奔幸福来

送虎年志筹意满 寅去卯来腾瑞气
祝兔岁心想事成 虎归兔到发祥光
　　　　（王双印）

艳阳高照门庭瑞 寅虎扬威张国力
玉兔喜临世纪新 卯兔捷足展雄风
　　　　　　　　　　　　（王翘松）

梅开盛世吉祥至 曼舞轻歌迎兔岁
兔叩福门好运来 张灯结彩庆元春
　　　　（常永生）　　　　（韩崇文）

梅开盛世春晖灿 喜玉兔今年奋起
兔叩福门好运多 祝巨龙明岁腾飞
　　　　（林庆林）

雪映红梅迎丽日 喜对良宵迎玉兔
兔奔碧野闹新春 笑同胜友赏新春
　　　　（李克治）

常在蟾宫攀桂树 喜纳兔年千百福
今临禹甸送丰年 欣迎国寿五十春
　　　　　　　　　　　（欧阳鹤岑）

深山虎啸神威久 喜兔年初开春色
平野兔驰嫩草香 继虎岁再展宏图
　　　　（成　立）

深山虎啸雄风在 喜兔年初露春色
绿野兔奔美景来 继虎岁大展宏图
　　　　　　　　　　　　（赖福根）

雁语声传人字颂
兔毫笔绘雪山图

勤捣药安民济世
莫守株抑懒防贪
　　　　（王兴平）

鹊欢报喜九州富
兔雅书春万户红
　　　　（潘家宝）

福字春联迎玉兔
烟花腊酒庆丰年
　　　　（熊书干）

嫦娥绕月传佳讯
玉兔携年贺锦城
　　　　（蒋保江）

燕子迎春衔画卷
兔娃闹岁竞风流
　　　　（包胜书）

燕剪春园梅嵌框
兔腾田野雪镶花
　　　　（宋　领）

山林虎去河山尽染
月殿兔来日月同春
　　　　（宋柳根）

日暖神州春晖万里
兔回大地气象一新

玉兔出行满天春色
山君归隐一路雄风

玉兔迎春虎威不减
金瓯添岁龙脉长延
　　　　（谭宗元）

虎士守边民安国泰
兔毫作画水碧山青
　　　　（孟　俊）

虎去兔来三阳开泰
风调雨顺万事亨通
　　　　（袁春立）

虎威八面宏图易展
兔魄一方佳梦能圆

虎振雄风国强民富
兔施灵药人寿年丰
　　　　（王幼甫）

虎啸千山声声响应
兔驰万里步步腾飞

兔跃青山百花吐艳
春回大地万物生辉

闹新年红梅迎瑞雪
抒壮志玉兔跃高台
　　　　（蓝伟文）

春归月殿钟催玉兔
誉满中华鼓舞金龙

千山骏业玉兔八方生瑞
四海鹏程金龙五岳呈祥
（张希彦）

春回大地百花吐艳
兔跃青山万物生辉

兔岁初临健步已驰千里
虎年虽去雄风犹震八方
（杨秀锋）

送虎年共庆山河壮
迎兔岁齐歌业绩新

送虎岁丰盈硕果山村景
迎兔年壮丽宏图祖国春

玉兔生辉照宽改革路
春风得意吹绽文明花

送金虎硕果丰收千里艳
迎玉兔宏图再展万年青

玉兔迎春凭临新世纪
和风送爽重整旧家园
（解维汉）

盛世虎年跃步民强国盛
新春兔岁穿梭月异日新
（曹庞沛）

虎去梅红梅艳千家雪
兔来柳翠柳拂万里春
（石心泉）

碧海龙腾百幅新图溢彩
青山兔跃一城春梦含香
（宋　领）

虎啸深林莽莽千山绿
兔奔沃野茫茫万里红
（华文光）

玉兔呈祥日丽风和歌盛世
金龙贺岁民安国泰庆新春
（韦业猷）

虎啸雄风回眸歌胜利
兔怀壮志昂首赴辉煌

玉兔衔春五风十雨皆为瑞
红梅兆福万紫千红总觉新
（易庚山）

虎辞旧岁乐养青峰院
兔接新年欢居碧玉宫
（冼世棠）

玉兔领衔新春欣奏腾飞曲
红梅举笔华夏豪吟奋进诗
（汪建勤）

玉兔腾云蟾宫折桂杵仙药
金龙洒泪芳苑润花放妙香
　　　　　　（宋　斌）
北斗回寅万户金鸡争唱晓
东风送暖九霄玉兔喜迎春

玉兔升腾紫气绵延凝宇宙
中华崛起风云叱咤壮河山
　　　　　　（李文君）
玉兔出宫倾慕人间春色美
金龙潜海畅游祖国江山娇

红梅凌雪江山如画九州瑞
玉兔临风岁月似饴百姓欣
　　　　　　（刘永清）
虎气扬威改水移山通富路
兔毫泼彩招商利市绘金桥
　　　　　　（韩晓钟）
虎岁三十爆竹声声辞旧岁
兔年初一红联对对迎新年

虎慢归山因贪人间好春色
兔急下界为觅世上新画图

虎镇千山虎威长励英雄志
兔营三窟兔智频吹改革风
　　　　　　（曹中庆）

兔岁来矣当记取龟兔教训
虎年去也要发扬龙虎精神

兔岁祥和喜看楹园结硕果
龙年喜庆笑吟联苑绽新花
　　　　　　（夏宝璋）
兔贺新春春如旭日腾云起
天开景运运似和风送福来
　　　　　　（汪建勤）
春起新风风光似画迎新岁
兔生紫气气象如虹耀紫星

笑破嘴唇四海欢腾圆一梦
喜红眼眸九州狂舞闹三春
　　　　　　（吴岱宝）
能文能武兔年更比虎年好
治水治山后浪永推前浪高

捣药月宫人应虔诚思过错
倾情兔笔文须挥洒显风流
　　　　　　（张杰安）
喜今朝玉兔欢跃九州生色
望明岁金龙奋起万里腾飞

玉兔降人间重霄直下三千界
吴刚送桂酒大业宏开二十年
　　　　　　（邹元生）

兔自月中来犹带清光辉大地
虎归山上去尚留雄气振尘寰
　　　　　　　　（周树涛）

兔岁来矣劝君记取龟兔教训
虎年去也祝您发扬龙虎精神

爆竹庆新春玉兔毫光生紫气
华灯辞旧岁金龙捷足入青云

爆竹辞旧岁玉兔毫毛生紫气
华灯迎新春金龙捷足入青云
　　　　　　　　（唐家良）

天宫破雾神箭穿云太空牵手圆美梦
玉兔呈祥金龙献瑞华夏扬眉耀宇寰

江河纬地日月经天龙驾祥云开玉宇
桃李垂诗烟霞泛画兔衔甘露报新春

借燕剪撷来凤岭朝霞裁成福字贴门户
挥狼毫饱蘸凌河瑞墨写出红联迎兔年

启后承前虎踞龙盘双雄伴玉兔
穿云裂石天覆地载寰宇赞华人
　　　　　　　　（胡连荣）

虎劲长存救命降魔英烈人人颂
兔年新至扶贫效国赤心户户歌

兔走龙飞欢庆民安国泰和谐景
梅开雪绽喜迎海晏河清锦绣图
　　　　　　　　（赵彩云）

　　　　　　　　（葛永红）

　　　　　　　　（解维汉）

　　　　　　　　（潘继洲）

辰　龙

龙的象征意义

　　龙,作为我们中国人独有的一种文化凝聚和积淀,已扎根并深藏于我们每个人的潜意识中。不但人们的日常生活、生老病死几乎都打上了龙文化的烙印,而且龙文化的视角、龙文化的审美意识也已渗透到了我国社会文化的各个领域、各个方面。

　　龙在中国,与天地世间的万事万物都有联系。

　　在中国传统文化中,龙是权势、高贵、尊荣的象征,又是幸运和成功的标志。

　　龙之所以具有这种文化象征意义,当然与神话、传说有关系。龙在天则腾云驾雾,下海则追波逐浪,在人间则呼风唤雨,神通无比。更重要的是几千年来,龙往往成为中国奴隶社会、封建社会最高统治者的"独家专利",是皇权的代名词。因此,皇帝自比为"真龙天子",他们的身体叫"龙体",穿的衣服叫"龙袍",坐的椅子叫"龙椅",乘的车、船叫"龙辇""龙舟"……总之,凡是与他们生活起居相关的事物,均被冠以"龙"字,以示尊崇和高高在上的特权。

　　龙与皇权挂钩的历史很久远,大约从黄帝时就开始了。

　　在传说时代,有着龙的血缘的黄帝曾四处巡视,体察民情。他叫人开采首山的铜,运到荆山脚下铸鼎,以纪念自己大战蚩尤的辉煌胜利。过了一段日子,鼎终于铸成了,黄帝专门在荆山举行了一个庆功大典,来庆祝巨鼎铸成。应邀出席典礼的不仅有各路神灵,而且还有八方百姓,大家都想看看黄帝铸的鼎到底是个什么样子。时辰一到,大概还是黄帝亲自揭幕,只见一只高逾丈三、口大如缸的铜鼎闪着耀眼的金光呈现于神、人之前,众人啧啧称羡,上前细看,鼎身刻着一条矫健的游龙在一片祥云中穿梭,周围是四方鬼神和各种珍禽异兽,可谓千姿百态,惟妙惟肖。

正当众人众神怀着崇敬的心情欣赏巨鼎和上面的图案时,忽然天空中浓云密布,挡住了阳光,天色很快阴暗下来。大家都以为要下雨了,谁知一道金光穿透浓云,一条披着金甲的神龙破云而来。它的尾巴和下半身托在云中,脑袋靠在宝鼎上,长长的龙须顺着鼎足垂到地面。黄帝明白这是自己完成了人间的使命,上天派神龙来接他升天了。他纵身一跃,跨上龙背,飞上天庭。百姓们舍不得放黄帝这样的贤良英明的君主上天,大伙儿扯着龙须不让走,结果扯落了好多龙须,黄帝和神龙还是走了。据说这龙须落在地上,便生出许多细小修长的草,人们以后就把这草叫作"龙须草"。

传说时代的著名君主,大都与龙有着说不清、道不明的渊源关系。尧在位的时候,世界上出现了大洪荒,到处是洪水泛滥。为了拯救百姓,他命令鲧去治水。鲧偷了天帝的息壤,采用"堵"的办法治水,劳而无功,被愤怒的天帝杀死在羽山,而烛龙刚好是这里的守护神。羽山这地方阳光照不到,常年靠烛龙嘴里含着的一支蜡烛照明,因而鲧的遗体三年不腐。天帝唯恐鲧会复生找自己报复,便一不做二不休,派了个名叫"吴刀"的神(大概就是天上的刀斧手吧),拿着宝刀来碎鲧之尸,当吴刀剖开鲧的肚腹时,突然从里边跃出一条虬龙,长着一对尖而锋利的角,在附近的山坡上翻腾跳跃了几下,顿时成了一条大龙,它就是鲧的儿子——禹。说来也奇怪,禹出生之后,鲧的身子就滚下羽渊,化成了一条蛟龙,时时"扬须振鳞,横修波之上"。

禹继承父志,终于降服了洪水,获得了万民的敬仰。后来,年迈的舜顺乎民意,把王位禅让给了禹,禹就成了夏朝的开国君主,这可能就是"皇帝是真龙天子"的历史依据之一吧。

龙的另一个文化象征意义是出类拔萃,不同凡俗。龙是神物,非凡人可比,所以人们常常又把那些志向高洁、行为不俗、有超常能耐的杰出之人称为"龙"。当年诸葛亮在南阳躬耕垄亩,尚未出茅庐时,自比管仲、乐毅,被人称为"卧龙"。

在汉语中,龙、虫是相对的。虫者,蛇也。蛇又称长虫,随处可见,种类繁多,不足为奇,不足为贵。"龙蛇混杂"即是说好东西和坏东西混在一起,很难辨别。这是从生物学上解释不通的现象——龙的原型,或者说龙的基本生理特点其实就是蛇,龙和蛇不说是兄弟,起码也是同宗族(蛇的美称也是"龙",小龙),但龙一旦与蛇分家,则对蛇不屑一顾,甚至为了表示自己与蛇不可同日而语,还要对蛇"斩杀"一番。最典型的莫过于汉高祖刘邦斩白蛇的故事,说刘邦的母亲刘媪梦与龙交合,怀孕生下了刘邦。他少有大志,一次野行路上,遇一条大蟒挡路,当即挥剑斩蛇,破腹取胆,传为美谈,时人以为不俗。正逢秦末天下大乱,刘邦乘机于沛县举兵,削平群雄,建立了大汉帝国,成就了长达四百年两汉刘氏的江山。

龙还象征着出人头地、不同凡响。古代把那些贤人高士也称为"龙"。相传孔子去见道家创始人老子,回去后三天不开口讲一句话,弟子们很奇怪,问他:"先生见了李聃,是怎样教他的呢?"孔子说:"我见到的是一条顺着阴阳变化无穷的龙,我张口结舌,哪里还能教导他呢!"意思是所有的话都是多余的,老子是人中之龙,难得一见的大贤。

俗话说"望子成龙",就是希望孩子能有出息,将来能出人头地,做一番事业。另外,我们常常听到电台、电视台或见到报纸杂志上有什么"歌坛龙虎榜"之类的消息。什么是"龙虎榜"?《新唐书·欧阳詹传》中说,欧阳詹中进士时,与韩愈、李观、王涯、崔群等天下名士同登一榜,时称"龙虎榜",意思是名流名家、巨星同聚于此。这里的"龙"说的是成功者。

"龙凤配"图案在唐代以后,广为流传。它不但象征帝王和帝后的权威,也可象征人类所有夫妻间的美满结合,而且还可象征世间的精神与物质的阴阳两极调和。可以说,龙凤图案是中华民族最有代表性的形象符号,是美妙的艺术形象。

甲骨文的龙凤,虽无定形,但可以看出龙是因时屈伸的灵虫,凤是有华美长尾的灵禽。在上古的青铜器上,龙的形象表现出狰狞、神秘和威严的总体效果。至汉代,它以奔放有力的弧线、精巧的点,构成大结构、大动势的主调,突破了神秘离奇气氛的束缚。唐时,它被赋予平和温驯的人化性格,形成富丽雍容、生机勃勃的风貌。宋元至明清时期,讲究靡丽之风,由精工细巧转向烦琐堆砌,但龙凤图案却始终保持着质朴、明朗、简练、生动的风格,具有强烈的生活气息。

龙的各部位都有特定的寓意:突起的前额表示聪明智慧;鹿角表示社稷和长寿;牛耳寓意名列魁首;虎眼表现威严;鹰爪表现勇猛;剑眉象征英武;狮鼻象征富贵;金鱼尾象征灵活;马齿象征勤劳和善良等。天安门前石华表的云龙、山东曲阜孔子庙的盘云龙石柱、故宫的龙床等都是历史上皇权的标记。

服饰上使用龙的图案加以装饰由来已久,但在相当长的时间内只是皇亲国戚的专用产品,而且多半为皇帝和龙子、龙孙所垄断。相传，黄帝认为龙能变化无穷，神通广大，十分喜欢龙的样子，就让他的大臣史皇在他的衣服上画上龙的图像，涂以五彩，这是中国历史上第一件"龙袍"。因为皇帝自称或被认为是"真龙天子"，所以在他的家族中，龙是必不可缺的标识：皇帝头戴龙冠——以双龙图案镶边的帽子；身穿龙袍——前后胸各有一条猛龙盘成一团，杂以云朵；腰系龙带——以龙为主要图案的腰带，佩以龙、凤玉佩……这些我们在博物馆、皇陵，以及在民间艺术中都曾见过。

每逢农历的戊辰、庚辰、壬辰、甲辰、丙辰年，都是龙年。

龙年春联

千峰雀跃
万水龙腾
　　　　（杨柏森）

凤鸣盛世
龙跃强国

龙年大有
国运无边
　　　　（郭保中）

龙年运到
福祉春来
　　　　（孔春枝）

龙兴华夏
人步青云
　　　　（孙德宇）

龙兴华夏
兔跃阳春

龙吟虎啸
腊尽春归
　　　　（草　野）

龙吟国瑞
雪兆丰年

龙临华夏
春满人家
　　　　（韩崇文）

龙翔盛世
凤舞和春
　　　　（艾双槐）

龙腾四海 迎春接福
春满九州 跃虎腾龙
　　　（章万福）　　　（武长平）

龙腾沧海 金龙迓纪
凤舞朝阳 玉兔辞年
　　　　　　　　　　（斯大品）

龙腾虎跃 金龙翘首
水秀山清 笑语盈门
　　　　　　　　　　（张永智）

龙腾虎跃 金龙登岁
燕舞莺歌 玉凤贺春
　　　　　　　　　　（孙满德）

龙腾盛世 兔归月殿
兔奉五福 龙奋神州
　　　（吴世康）　　　（张　过）

龙腾盛世 兔归月殿
兔促和谐 龙舞乾坤
　　　（雷永前）　　　（蒋宗书）

龙腾瑞气 兔年醉我
燕舞春风 龙步催人
　　　　　　　　　　（姚维芳）

龙腾碧宇 兔添富韵
福满神州 龙启华章
　　　　　　　　　　（杨子鹏）

迎春送兔 兔勤家富
跨纪乘龙 龙奋国强
　　　（熊剑文）　　　（范高彪）

兔腾人富
龙舞国威
　　　　（张金成）

春光骀荡
国步龙腾

砚生云海
笔舞龙蛇

燕莺歌福
龙凤戏春
　　　　（赵　根）

人有鸿鹄志
国呈龙虎姿
　　　　（翟功印）

九域龙腾跃
三春国富强

开春欣纳福
贺岁喜腾龙

月圆欢玉兔
岁好舞神龙

大泽龙方起
中华景永春
　　　　（草　野）

天高鹏翅健
海阔龙姿雄

长空排雁阵
大海起龙图
　　　　（草　野）

丹青描锦绣
翰墨舞龙蛇
　　　　（草　野）

凤舞祥和岁
龙吟富裕春

玉兔九霄去
金龙四海来
　　　　（胡久胜）

玉兔归月殿
金龙降人间

玉兔回宫去
金龙带雨来
　　　　（潘继洲）

玉兔铭双庆
天龙颂九如
　　　　（张坤旭）

龙人行特色
世纪换新天
　　　　（龙洪文）

龙人歌祖国
世纪换新天
　　　　（刘名亚）

龙口吐春水
农家敛福音
　　　　（草　野）

龙飞新世纪
喜满大时空
　　　　（赵　根）

龙开新世纪
马跃好前程
　　　（梁石梁栋）

龙吟春正好
燕语日初长

龙腾兴大业
虎跃迈新程
　　　　（张国栋）

龙腾金世界
兔送玉乾坤
　　　　（郭保中）

龙腾南海韵
燕舞北疆春

龙腾新世纪
兔驻富门庭
　　　　（秦树桐）

龙腾新世纪
兔跃大中华
　　　　（胡盛海）

龙腾新世纪
春暖大中华
　　　　（袁国忠）

龙腾新世纪
狮醒古神州
　　　　（卢善求）

龙腾新世界
兔送玉乾坤

龙腾鹏翼展
狮吼凤声清
　　　　（白启才）

龙腾翻巨浪
虎啸动春雷

龙舞山河壮
人勤岁月甜

龙舞长城雪
燕鸣北国春
　　　　（草　野）

龙舞东风劲
舟飞碧海宽
　　　　（方国礼）

鸟鸣千户晓
龙舞一池春
　　　（草　野）

寿鹤云山伫
老龙沧海游

虎啸乾坤动
龙腾雨霞随
　　　（姜尚志）

国蕴升平象
龙骧世纪风
　　　（高凤瑞）

凭栏听鸟唱
放眼看龙腾
　　　（赵拴柱）

金龙开盛世
瑞气发春华
　　　（张博文）

金龙迎新纪
玉兔焕长春
　　　（彭学标）

金龙腾盛世
瑞雪兆丰年
　　　（张　驰）

兔去普天庆
龙腾大地春

兔去瑶光灿
龙来瑞气腾
　　　（白启才）

兔去歌风雅
龙来庆有余

兔岁歌新策
龙灯舞富春
　　　（姚有才）

兔过千山秀
龙呈五福盈
　　　（董云龙）

兔年开盛景
龙岁迈新程
　　　（王玉立）

兔走丰年在
龙腾盛世恒
　　　（林庆林）

兔走祥和在
龙腾福禄来
　　　（戴国荣）

兔别千秋夜
龙迎世纪春
　　　（高　扬）

兔送千家福
龙吟万里春

兔跃山河美
龙腾日月新
　　　　（陈鄂耆）

兔跃丰收岁
龙腾大有年

兔跃丰稔岁
龙腾新纪年
　　　　（毛银河）

兔跃归程秀
龙吟步履坚
　　　　（钟建钦）

兔跃回归月
龙开世纪门
　　　　（王文俊）

兔辞留腊瑞
龙至报春祥
　　　　（任树德）

兔舞满天彩
龙飞四海春
　　　　（成万丰）

春意满天下
龙图绘乾坤

狮醒金汤固
龙腾岁月新
　　　　（洪景新）

神龙吟福岁
仙鹤舞春风
　　　　（赵　根）

神龙迎盛世
紫燕剪春光
　　　　（刘保平）

贺岁金龙舞
迎春笑语飞
　　　　（武长春）

盛世鸡成凤
丰年人舞龙
　　　　（嵇常俭）

腊尽龙腾宇
春归燕剪云
　　　　（赵　根）

腊尽蛟龙跃
春归莺燕忙
　　　　（草　野）

紫燕鸣新柳
苍龙舞大潮

腾天巡广宇
舞地振神州
　　　　（孔祥经）

德门呈燕喜
仁里灿龙光
　　　　（草　野）

燕语新年瑞
龙飞大地春
（郭保中）

燕舞三春喜
龙腾九域新

燕舞丰年里
龙腾盛世中
（王　志）

燕舞新年喜
龙腾大地春

蟾宫归玉兔
瀚海舞蛟龙
（严应道）

蟾宫招兔去
新纪引龙飞
（草　野）

大展鲲鹏羽翼
壮怀龙马精神

大舞兔毫辞兔
勇攀龙角接龙
（郭保中）

山清水秀景美
兔隐龙腾春浓
（王玉立）

千古龙盘虎踞
三春燕舞莺歌

日丽风和送兔
山清水秀迎龙
（郭保中）

火树银花世界
龙腾虎跃新春

玉兔方归月殿
金龙已到人间

玉兔光临大地
金龙奋舞长天
（熊健清）

龙舞升平盛世
花开锦绣新春
（李万兴）

鸟语花香春秀
龙腾虎跃国强

兔立丰功交岁
龙行健步开春
（张培成）

兔驾彩云送福
龙腾大地迎春
（熊中炽）

兔望清风朗月　　　　　　　七彩云霞铺锦绣
龙腾秀水清山　　　　　　　一池翰墨舞龙蛇
　　　　　（石廷秀）

虎跃龙骧鹏举　　　　　　　八面威风增国力
花明柳暗春浓　　　　　　　九州春色启龙年

盛世民安业壮　　　　　　　人心思治江山固
神州虎跃龙腾　　　　　　　国步腾龙世纪新

一元复始龙昂首　　　　　　人寿年丰新岁月
万象生辉兔报春　　　　　　龙腾虎跃锦乾坤
　　　　　（李　涛）

一元复始龙增岁　　　　　　九九祥云舒玉兔
万物生辉燕报春　　　　　　千千情结系金龙

一元复始腾龙日　　　　　　九天揽月中华志
两岸同欢送兔时　　　　　　四海腾龙民族魂
　　　　　（魏明德）

一片惊涛龙出海　　　　　　九天揽月英雄志
八方锦绣燕衔春　　　　　　四海腾龙祖国魂

一代龙人开盛纪　　　　　　九龙飞舞千秋雪
九州大地起宏图　　　　　　百鸟啼开万树花

一夜寒风归玉兔　　　　　　九龙共舞九州贺
八方时雨起金龙　　　　　　四海长歌四海馨
　　　　　（练　达）　　　　　　　　　　（戴国荣）

九州日丽山河壮　　　　大治凤鸣尤悦耳
华夏龙腾日月新　　　　小康龙舞更开心

九州日丽迎新政　　　　才颁兔岁丰收奖
四海龙腾乐有年　　　　又写龙年发展篇
　　　　（郭保中）

九州丽日迎新纪　　　　万水千山凭虎跃
四海龙吟乐大年　　　　五湖四海任龙腾

九州骨肉同龙脉　　　　万里广寒归玉兔
两岸山河共月圆　　　　十分春色跃金龙

九域欢歌辞玉兔　　　　万里春风苏绿野
三阳焕彩跃金龙　　　　八方喜雨起苍龙
　　　　（甘方武）

才闻兔岁凯旋曲　　　　万物呈祥荣盛世
又唱龙年祝福歌　　　　九龙献瑞庆良辰

大丈夫无须待兔　　　　万象已随新运转
有志者必定腾龙　　　　一龙出跃好春来
　　　　　　　　　　　　　　（黄文彬）

大业功成惊世界　　　　千里云霞辉大地
巨龙飞跃盛中华　　　　万般气象壮龙年

大地神龙开盛纪　　　　千家福气金龙降
人间紫燕舞新春　　　　万里春光紫燕衔

千秋事业神龙舞
一代风流骏马驰

千秋国祚龙脉壮
万里福祉民生长
（吴岱宝）

门吉家祥歌且舞
龙姿虎态慨而慷

小康岁月多春意
大泽蛰龙起泰山

云龙御气苍穹小
天马行空泰岳低
（童明钧）

巨龙腾跃中华志
猛虎奋飞民族魂

日丽三江金凤舞
虹飞五岳玉龙腾

日丽三江金凤舞
虹飞五岳巨龙腾

反腐尽除三穴兔
图强遍起九州龙
（谷长任）

月中兔送千家福
海上龙吟万里春

无边春色来天地
有志金龙越古今

云近紫台龙虎气
春回青苑凤麟游

中华儿女鲲鹏志
祖国江山龙虎姿

中华跃日神龙舞
大地迎春紫燕飞

丹凤朝阳传喜讯
金龙出海起狂澜
（潘明辉）

丹凤朝阳歌盛世
苍龙布雨润神州

丹霞瑰丽神龙舞
大路康庄骏马驰

风发龙门春浪暖
日临雁塔晓云开

风来松度龙吟曲
雨过庭余鸟迹书

风流儿女鲲鹏志
锦绣江山龙虎姿

风调雨顺龙气象
锦山绣水凤文章

风舞九霄多喜气
龙腾四海好春光
（刘抗争）

风舞千祥迎盛世
龙腾百福兆丰年
（齐云霞）

凤舞龙腾新世纪
民欢国泰好春光
（毛福江）

文化繁荣龙起舞
中华昌盛福迎春
（宋　领）

文明曲颂金龙岁
富贵花开玉树春
（袁海顺）

方尝卯兔丰年酒
又见辰龙壮岁图
（张光明）

方闻兔年爆竹响
又见龙岁对联红

户吉家祥歌且舞
龙盘虎踞慨而慷

水秀山清迎虎啸
风和日丽起龙吟
（张希民）

水笑山欢迎世纪
龙腾虎跃建中华
（钱太兴）

玉凤腾飞兴骏业
盘龙崛起立新风
（潘玉盘）

玉凤腾飞迎盛纪
金龙崛起颂新元

玉龙喜舞开新纪
白兔欢歌话旧年
（马少良）

玉兔已圆濠水月
金龙正盼海峡春
（孙德孚）

玉兔飞奔辞旧岁
金龙起舞贺新年
（黄庆易）

玉兔升天行善事
金龙降地保平安
　　　　　（陈　良）

玉兔升华延紫燕
金龙翘首盼玄鸿
　　　　　（王勋仁）

玉兔升迁辞旧岁
金龙起舞贺新春
　　　　　（魏选之）

玉兔升腾寒月去
金龙降舞暖春来
　　　　　（郭保中）

玉兔升腾蟾阙里
金龙飞舞彩云间

玉兔长毫抒大雅
金龙浩气济丰年
　　　　　（白启才）

玉兔功勋归史册
金龙事业著丰碑

玉兔旧年添瑞景
金龙新纪展英姿

玉兔归山留福印
金龙舞爪绘宏图

玉兔归山辞旧岁
金龙出海兆丰年
　　　　　（王训远）

玉兔回宫天降玉
金龙值岁地生金
　　　　　（李缓如）

玉兔回宫传喜去
金龙出海送福来

玉兔回宫传喜报
金龙出海立新功
　　　　　（杨荣进）

玉兔回宫留胜迹
金龙破壁展宏图

玉兔回宫留福泽
金龙下界沐祯祥

玉兔回宫攀月桂
金龙浴日上云霄

玉兔回宫春色灿
金龙降世彩云归

玉兔回宫禀盛岁
金龙跃海示丰年
　　　　　（沈金泽）

玉兔回眸辞绿野
金龙翘首跨新元
　　　　（黄大光）
玉兔欢别峥嵘岁
金龙畅吟璀璨春
　　　　（程秉绶）
玉兔呈欢辞旧岁
神龙跃起展鸿猷
玉兔呈祥千里锦
金龙兆福万家欢
　　　　（郭凤朝）
玉兔呈祥开盛纪
金龙兆瑞起宏图
　　　　（朱雷军）
玉兔呈祥从地起
金龙献瑞自天来
　　　　（申有旺）
玉兔呈祥光史册
金龙献瑞著丰碑
　　　　（吴子牛）
玉兔呈祥迎紫气
金龙携瑞步青云
　　　　（张向东）
玉兔呈祥家家乐
金龙兆瑞步步高

玉兔呈祥留伟绩
金龙献瑞创辉煌

玉兔呈祥辞旧岁
金龙献瑞贺新春
　　　　（吴玉明）
玉兔余辉腾紫气
金龙新影舞东风
　　　　（魏　铭）
玉兔巡天奔月去
金龙值岁御春来

玉兔迎春春不老
金龙赐福福无穷
　　　　（李　涛）
玉兔迎春歌一曲
金龙贺岁赞三农
　　　　（郭凤朝）
玉兔迎祥辞旧岁
金龙献瑞启新程
　　　　（表炳义）
玉兔返宫留草绿
金龙镇岁伴花红
　　　　（郭耀桃）
玉兔奔辞幸福地
金龙喜临艳阳天
　　　　（程秉绶）

玉兔织娟山山秀
金龙降雨户户欢
（仝　一）

玉兔经年风雨顺
金龙入岁国民安
（郭述华）

玉兔荣归歌改革
金龙起舞颂升平
（陈鄂耆）

玉兔挥毫书崛起
金龙给力创辉煌
（钟加元）

玉兔昨宵催腊去
金龙今日闹春来
（袁炳煌）

玉兔追风奔富路
金龙拱日泛春晖
（刘志杰）

玉兔洒辉天降玉
金龙播雨地生金
（黄大光）

玉兔穿梭收美景
金龙起舞创新篇
（宫从保）

玉兔载捷归九宇
金龙携瑞降三春
（郭保中）

玉兔逢时留吉兆
金龙贺岁佑黎民
（傅荣俭）

玉兔毫光生紫气
金龙捷足入青云

玉兔清辉千里共
金龙重彩九州同
（孙德孚）

玉兔喜藏春色里
金龙舒展锦花中
（谷中良）

玉兔献辞歌万福
金龙入世迓千祥
（李敬忠）

玉兔辞尘留硕果
金龙跨纪展雄威
（熊尚鸿）

玉兔辞年传吉利
金龙贺岁保平安

玉兔辞年传捷去
金龙接纪送春来
（廖　铁）

玉兔辞春歌一曲
金龙贺岁赞三农
（郭凤朝）

玉兔腾欢随旧纪
金龙曼舞展新元
　　　　（尹春保）

玉兔撒欢舒烂漫
金龙得意铸辉煌
　　　　（许玉书）

玉兔邀龙传美意
祥云布雨沐新春
　　　　（胡明山）

玉兔蟾宫传喜讯
金龙世上奏华章
　　　　（李缓如）

甘为折桂擒龙者
不做守株待兔人
　　　　（杨子鹏）

甘为绣凤雕龙客
不做守株待兔人
　　　　（练　达）

世纪开篇龙舞墨
江山着色燕衔春
　　　　（高凤瑞）

世纪风云龙际会
春风杨柳燕剪裁

世纪春光辉大地
江山国色舞神龙

龙门一跳迎新岁
燕子双飞报好音

龙门丽景催鱼跃
祖国宏图任我描

龙飞凤舞千山翠
燕语莺啼四海春
　　　　（陈文民）

龙飞凤舞升平世
燕语莺歌锦绣春

龙飞满目皆春意
凤舞千山尽彩霞
　　　　（唐仕明）

龙开盛纪新春丽
国展宏图大业娇

龙从百丈潭中起
春自千重锦上来

龙从银汉河中起
春自神州锦上来
　　　　（刘志杰）

龙书福字腾祥气
凤绕吉门唱早春

龙有传人家国盛
春回大地蕙兰芳
　　　　　（方在华）

龙年业绩超千古
鹏鸟雄姿搏九霄

龙年喜饮歌功酒
兔岁欣吟颂党诗
　　　　　（王天玉）

龙自海上飞跃起
春从梅梢飘洒来

龙兆吉祥欣国泰
兔留余庆喜民安
　　　　　（周永元）

龙来兔走迎新纪
冬去春回送旧年
　　　　　（刘功永）

龙灯明亮礼花灿
马戏神奇年味浓
　　　　　（李　涛）

龙步青云酬壮志
鹏飞碧宇览神州

龙岁迎来新世纪
莺歌唱出好春光

龙吟沧海雄心展
狮吼神州壮志酬
　　　　　（周明荣）

龙吟虎啸富民曲
柳绿花红盛世春

龙吟曲里齐天乐
蝶恋花中满庭芳
　　　　　（小吕飞刀）

龙吟兆瑞迎新岁
凤舞呈祥庆有年
　　　　　（韩执玺）

龙吟国瑞升平世
春暖花明锦绣图
　　　　　（白启才）

龙国龙年龙起舞
虎林虎地虎飞腾

龙驾祥云化澍雨
兔嚼仙草恋青山
　　　　　（李　涛）

龙首高昂书锦绣
鸿图大展续辉煌
　　　　　（李　涛）

龙起祥光呈国瑞
兔留紫气兆丰年
　　　　　（周永元）

龙展鸿图铺锦绣
民兴骏业铸辉煌
　　　　　（何凤玲）

龙跃中华春永俏
国臻盛世业长兴
　　　　　（王　杰）

龙盘虎踞江山固
燕舞莺歌岁月甜
　　　　　（李　涛）

龙翔凤翥山河壮
物阜民丰日月新

龙游沧海江湖小
狮醒神州世界惊

龙腾九野丰年景
花放千村盛世图
　　　　　（熊尚鸿）

龙腾千载兴华夏
岁启新元颂太平

龙腾广宇添新秀
兔丽长河展壮图

龙腾天府春光里
鸡唱新区曙色中
　　　　　（魏　铭）

龙腾云海国昌盛
春满人间民泰安

龙腾古国新年到
兔返寒宫旧岁除
　　　　　（黎忠模）

龙腾伟业超千古
鹏舞雄姿搏九霄

龙腾岁首开新运
鹊上枝头报好音

龙腾华夏山河壮
春暖神州草木荣

龙腾华夏中兴日
凤舞阳春大治年
　　　　　（杨国材）

龙腾华夏迎新纪
兔奔寒宫辞旧年
　　　　　（王汉屏）

龙腾华夏国增瑞
春暖人间景焕新
　　　　　（翟凌宇）

龙腾华夏金鳌壮
春暖虞唐草木荣

龙腾华夏春光丽 龙腾虎跃新世纪
福到门庭喜气盈 年富力强好时光
　　　　（殷栋梁）

龙腾华夏钟灵地 龙腾盛世千家喜
德启门庭毓秀人 春满神州万物荣

龙腾虎跃风云壮 龙腾盛世山河美
物阜年丰国运昌 兔跃沃田天地新
　　　　　　　　　　　　（许炳荣）

龙腾虎跃光明地 龙腾盛世山河美
海晏河清锦绣天 政暖黎民岁月甜
　　　　　　　　　　　　（王天玉）

龙腾虎跃创奇业 龙腾喜浪迎新纪
河涌江奔奋小康 兔乐丰仓送旧年
　　　　（郭保中）

龙腾虎跃兴丕业 龙腾新纪百年好
马啸人欢奔小康 马跃长征万里遥
　　　　（贾树桂）

龙腾虎跃迎新纪 龙腾碧水松江富
霞蔚云蒸展大鹏 鸟唱黄山文化兴
　　　　（高素中）　　　　　（李铁珊）

龙腾虎跃国兴盛 龙腾碧水春光媚
政通人和民富强 兔跃青山捷报频
　　　　（刘育良）　　　　　（赵克恭）

龙腾虎跃春光好 龙腾碧海三千里
鸟语花香世纪新 燕舞新春百万家

龙腾碧海风云壮
燕舞新春国运昌

仙兔飞升辞旧岁
神龙起舞庆新元
　　　　　（张国栋）

龙腾霄汉开新运
鹊立枝头报好音

鸟鸣春日惊山水
鱼跃龙门动地天

龙腾霄汉开新宇
鹊立梅梢报福音

民乐小康描美景
龙吟大业壮鹏程
　　　　　（张永智）

龙腾霄汉云霞蔚
春到人间日月新
　　　　（熊尚鸿）

民情雀跃符民意
国步龙腾壮国威

龙舞龙吟龙报喜
凤翔凤举凤呈祥
　　　　（张国栋）

民族振兴增国力
中华崛起赖龙人

北海云生龙对舞
南山日上凤双飞

吉龙呈瑞百花艳
祉凤鸣春万物新
　　　　　（王西康）

旧年兔跃传佳讯
新岁龙腾展壮猷
　　　　（张国栋）

动地惊天龙气象
锦山绣水凤文章

出海神龙开世纪
挥毫妙笔颂春秋

百尺高梧栖彩凤
万川汇海起蛟龙

四海龙腾春满日
九天鹤舞志凌云
　　　　（邓万商）

扬鳍奋爪风云壮
国瑞政通日月新

回宫玉兔报人寿
送雨金龙兆岁丰

华夏扬威惊世界
巨龙昂首恃风雷
（韩崇文）

岁序千年好事近
龙腾万户满庭芳

旭日东升丹凤舞
中华崛起巨龙飞
（李敬忠）

岁降金龙蒙化雨
年逢惠政沐春风

江山古国堪留鹤
华夏高天好跃龙
（姬永强）

刚唱兔年歌一曲
又斟龙岁酒三杯

江山秀丽神龙舞
道路逶迤骏马驰

年届新春辞玉兔
诗游世纪耀腾龙

江山依旧龙盘踞
世纪更新国富强
（胡治身）

华夏龙腾新世纪
阳春物竞好时空

江山故国堪留鹤
华夏昊天可跃龙
（曹宠沛）

华堂戏燕春风暖
盛世腾龙国色娇

江河湖海凭龙跃
山岳峰峦任虎行

华夏龙腾金鼓壮
新春马跃玉珂鸣

守佳绩切勿待兔
迎新年定要腾龙
（张永智）

华夏龙腾金鏊壮
神州兔跃玉仓盈

如意春风催虎啸
吉祥云彩壮龙腾

欢辞玉兔迎新岁 花开草长春风暖
喜看金龙舞暖春 兔走龙回岁月新

辰日一轮驰浩宇 花发九州欣富贵
龙年百业壮中华 龙游四海庆升平
　　　　　　　　　　　（李万兴）

辰年迪吉千重瑞 花柳春风催燕舞
龙岁呈祥四季宁 英雄祖国盼龙飞

辰居其所众星拱 苍梧拔地栖金凤
龙腾于天万国钦 碧海连天潜玉龙

辰星闪烁祥云降 苍龙日暮还行雨
龙岁蒸腾鸿运来 老树春深更著花
　　　　（王　峰）

辰年绿柳迎龙降 苍龙行雨科学助
卯岁红梅送兔归 碧海泛涛金鲤飞
　　　　（周　响）　　　（张　梧）

赤子赤心兴赤县 报春乐曲神龙啸
龙人龙步入龙年 强国宏图众手描
　　　　（陈铭新）

赤兔追风千里志 折桂蟾宫闻兔笑
金龙拱日万家春 横流沧海看龙腾
　　　　　　　　　　　（程秉绶）

花开草长春风煦 赤兔追风传喜报
兔走龙回世纪新 金龙布雨兆丰年
　　　　（吴子牛）　　　（常振恒）

杨柳三春山水画
炎黄一脉古今龙

英雄儿女鲲鹏志
锦绣江山龙虎姿

两袖清风龙虎惧
一身正气鬼神惊

奔马扬蹄传捷报
飞龙昂首展雄风
（李　涛）

迎春喜做擒龙汉
辞岁羞为待兔人

奔兔辞别丰稔岁
腾龙报到大捷年
（周明荣）

（贾树桂）

迎龙年唯求国利
喜新政只为宜民

奔富图强龙破壁
迎春报喜鹊登枝
（林文聪）

迎新纪千祥纳户
喜龙年五福临门

雨顺风调龙气象
锦山绣水凤文章

（姚善同）

改革迎来金虎啸
开放喜看玉龙腾

虎步龙骧臻胜境
山欢水笑度新春
（吴岱宝）

青云浩气腾龙步
捷报宏图振国威

虎跃龙腾欢盛世
莺歌燕舞贺新春

幸福家庭龙虎卧
文明宅第子孙贤

虎啸无弦惊海宇
龙吟有意动河山

昔年虎啸千山壮
今日龙腾四海春

国运国兴凭国策
龙飞龙跃靠龙人

国泰民安辞瑞兔
风调雨顺舞祥龙
　　　　（冯志刚）

国盛国兴凭国策
龙飞龙舞靠龙人

国策英明增国力
龙年飞跃展龙图

国富民殷龙献瑞
年丰物阜凤还巢

昂龙首春风得意
挥兔毫秋水抒情
　　　　（村　夫）

呼风唤雨甘霖降
达海通江瑞气升
　　　　（杨　威）

图强玉兔太空月
接力金龙赤县天

金龙广为东风舞
玉兔常依月照明
　　　　（周明荣）

金龙出水三江秀
玉兔行天四海明

金龙出海迎新岁
彩凤朝阳贺小康

金龙出海春潮涌
喜鹊登枝幸福多

金龙兆福千家喜
瑞鸟争鸣万里春
　　　　（李荣发）

金龙报春春风暖
铁手造福福气浓

金龙闹海春潮涌
喜鹊登枝福韵高

金龙临岁昌鸿运
玉兔巡天报吉祥
　　　　（许云生）

金龙破壁跨新纪
赤县扬帆唱大风
　　　　（甘方武）

金龙值岁开千载
玉兔奏功上九天
　　　　（严慎之）

金龙值岁开新局
赤兔嘶春迈锦程
　　　　（林应禧）

金龙跃起开新纪　　　　　　欣逢兔跃开诗境
特色沾濡振富邦　　　　　　喜望龙腾展画屏
　　　　　　（赵仁淦）　　　　　　（贺考祥）

金龙跃起年年盛　　　　　　兔上月宫传瑞气
玉凤腾飞岁岁昌　　　　　　龙腾云水接春风
　　　　　　　　　　　　　　　　　（彭传鼎）

金龙崛起天宫舞　　　　　　兔飞一步跨新纪
玉兔凯旋日月新　　　　　　龙跃九天庆好春
　　　　　　（黎权芳）　　　　　　（杨　怀）

金龙献瑞风光好　　　　　　兔去鸡鸣催晓读
绿柳迎春气象新　　　　　　龙来鸟唱唤春耕
　　　　　　（草　野）　　　　　　（石春荣）

金龙献瑞苏千里　　　　　　兔去和风留万户
绿柳迎春乐万家　　　　　　龙来豪气震千年
　　　　　　　　　　　　　　　　　（宋振启）

金龙献瑞迎千吉　　　　　　兔去留福盈禹甸
玉兔留芳兆百祥　　　　　　龙来送喜满人间
　　　　　　　　　　　　　　　　　（孟韦记）

金龙舞动三春雨　　　　　　兔回天宫观桂树
玉凤翱翔五彩云　　　　　　龙腾大地醉新春
　　　　　　　　　　　　　　　　　（王书砚）

欣看大地千重秀　　　　　　兔岁已描新画卷
笑望巨龙四海飞　　　　　　龙年再配好诗章
　　　　　　　　　　　　　　　　　（袁精华）

欣闻禹域鸣雏凤　　　　　　兔岁民丰欣发展
喜看神州起卧龙　　　　　　龙年国泰送平安
　　　　　　　　　　　　　　　　　（章允芳）

兔岁欣织千里锦
龙年喜纳九州福
（张　驰）

兔岁祥光辉转轨
龙年锐气蕴飞腾
（符舟济）

兔岁舜尧织锦绣
龙年华夏展宏图
（贾发学）

兔年送吉千家福
龙岁呈祥九州春

兔年幸享平安福
龙岁迎来富贵春

兔年虽去祥和在
龙岁初临好运来
（王书砚）

兔年绘就和谐画
龙岁续吟发展诗
（鲁世涛）

兔年喜作成功赋
龙岁多谋创业篇
（马占云）

兔年满载辉煌业
龙年迎来富贵春
（古　邦）

兔观美景迎风去
龙乐新春破水飞
（杨良友）

兔走千家添瑞气
龙来九域纳祥春

兔走吉祥歌盛景
龙腾福运展雄风
（张希彦）

兔进福财民富贵
龙增祥瑞国昌隆
（杜正尧）

兔足生风穿碧野
龙鳞耀日放金光
（杨良友）

兔别人间留典范
龙腾世纪领风骚
（曹复坤）

兔吟月照珠光美
龙舞风生海气新
（朱天序）

兔伴小康留喜讯
龙招大福展宏图
（陈明柏）

兔伴祥云祈福去
龙携瑞雪报春来
（赵春贤）

兔伴嫦娥升月殿
龙行风雨荡春潮

兔留玉韵腾瑞气
龙聚中华耀祥云

兔伴嫦娥奔月去
龙乘神箭送春归
（魏　铭）

兔留倩影长空丽
龙展英姿禹甸雄
（姚维芳）

兔迎凤蝶新春景
鱼跳龙门好运年
（李　涛）

兔退千山除旧貌
龙腾万水扫污痕
（施永新）

兔奔登月寻芳去
龙舞迎春降福来
（林庆林）

兔恋人间春色好
龙迎世上画图新
（沈其丽）

兔卧青山春万里
龙兴赤县福千秋
（李　涛）

兔恋青山衔绿草
龙游碧海戏红珠
（朱凤林）

兔返蟾宫辞旧岁
龙飞华夏贺新春
（赵谷逊）

兔跃千山添锦绣
龙腾万里创辉煌
（雷永前）

兔凭捷足收三秀
龙亮金鳞耀九州
（黄　钟）

兔跃已传千道喜
龙腾又送万家福
（梁国栋）

兔驾烟云升桂月
龙行风雨荡春潮
（王西康）

兔跃神州留吉瑞
龙腾盛世降福祥
（许炳荣）

兔树丰碑留伟绩
龙开新纪展宏图
（庞文彪）

兔跃寒宫辞旧岁
龙腾华夏播春风

兔衔仙草赏春景
龙舞神州听福音

兔衔瑞草千秋福
龙舞春光百姓安
（彭传鼎）

兔衔瑞草回宫去
龙驾祥云降福来

兔毫大写强国赋
龙墨狂书富民诗

兔毫描绘江山画
龙目乐观世纪春

兔毫绘画山河美
龙角叩天气象新
（成万丰）

兔毫谱写文明曲
龙角撞开世纪门
（邹元生）

兔隐蟾宫扬远誉
龙行新纪播芳名
（喻斯美）

兔随冬去留春意
龙伴春来壮画图

兔辞胜岁传佳话
龙奋新程建大功
（李　涛）

兔醉春风芳草地
龙腾玉宇艳阳天
（李　涛）

鱼跃龙门千业振
民奔富路万家欢

鱼跃鸢飞惊海宇
龙吟虎啸咤风云

刻翠裁红新格调
屠龙刺虎好文章

河清海晏小康路
凤舞龙飞大有年
（杨喜东）

诗画满园铺锦绣
风雷动地走龙蛇

春日春风春浩荡
龙年龙岁龙腾飞

春节迎来春气象
龙年抖擞龙精神

春节春气迎春到
龙裔龙年看龙腾
　　　　（郭保中）

春光明媚江山上
龙虎腾飞事业中

春回大地欢歌起
龙到神州捷报扬
　　　　（雷连生）

春来两岸龙出水
绿柳半城鲤跃门
　　　　（王宗伯）

春来网上探龙迹
喜入屏中留兔声
　　　　（尹春保）

春临兔跃月中去
节到龙腾海上来

春雨多情绿大地
金龙展志壮神州

春到人间争虎跃
喜传域外庆龙飞

春梳绿柳播新韵
龙御长风赋壮猷
　　　　（王　宇）

春满人间龙献瑞
福临小院凤呈祥
　　　　（张小林）

春燕归来织锦绣
金龙起舞续辉煌
　　　　（李　涛）

挥毫凤舞千山秀
泼墨龙飞万水腾

和畅春风携龙到
轻盈冬雪引兔归
　　　　（许炳荣）

狮醒九州驱虎豹
龙腾四海息风波

送玉兔吴刚捧酒
驾金龙敖广献珠

美酒三杯辞兔岁
华灯万盏庆龙年

美酒杯杯辞兔岁
华灯熠熠庆龙年
　　　　（李宗械）

送玉兔吴刚捧酒
迎金龙敖广献珠

炼塔凌空荣广宇
油龙出海壮神州

矫健巨龙腾世纪
昂扬华裔趁阳春
　　　　（李明慧）

神龙未与千年老
祖国才同世纪新

绘龙图铭心济世
存虎胆立志兴邦
　　　　（李忠辉）

神州儿女鲲鹏志
禹域江山龙虎姿

莺歌九域龙腾跃
燕舞三春国富强

神州代起擒龙手
华夏深藏伏虎才

莺歌兔跃嬉春日
凤舞龙腾跨纪时
　　　　（师重农）　　　　（陈金玉）

神州春暖山河秀
盛世龙腾日月辉

莺歌燕舞春光美
虎跃龙腾国事兴
　　　　（郭保中）

神州春暖山河秀
华夏龙腾日月新

笔走神龙大手笔
春归盛世好青春

神州狮舞中华志
四海龙腾民族魂

笔走神龙凭大手
诗流雅韵有高人
　　　　（柳　滨）

神州起凤春光美
盛世腾龙日子甜

笔架山高才气现
砚池水满墨龙飞
　　　　（张诗灿）

神舸腾空荣玉兔
天宫盈喜贺金龙

座座丰碑镶玉兔
张张笑脸舞金龙
　　　　（鲁英博）　　　　（宫从保）

海阔何愁龙跃水
山高岂妒凤朝阳

浪翻南海潜龙至
风振紫霄翔凤归

雪绽白梅腾玉兔
天辉紫甲跃神龙
（张景书）

黄龙行雨腾沧海
紫凤驾云上碧霄

梅为小院添春色
鹊向龙年报好音

梅为春意赋新意
雪向龙年报丰年

梅花香遍神州地
龙步震开盛纪春

梅柳三春飞雏燕
炎黄一脉跃神龙

崇华夏图腾立地
奉民族信仰主天
（王兴平）

唯大英雄能伏虎
是真豪杰乃降龙

彩凤来仪迎大治
金龙起舞庆新春

敢驾云龙追旭日
欣邀彩凤伴春光
（李新勤）

喜庆爆竹送玉兔
吉祥瑞雪迎金龙

喜报人间曾伏虎
新开盛纪正腾龙

喜事连连辞兔岁
春风处处惠龙人

喜事连连辞兔岁
春风阵阵乐龙人
（杨良友）

喜兔岁九州丰稔
愿龙年百业昌荣

喜兔岁九州繁盛
愿龙年百业昌隆

喜看龙岁花千树　　　蛟龙出海迎红日
笑斟改革酒一杯　　　紫燕归门报早春

喜鹊登枝传喜讯　　　蛟龙腾海风雷激
神龙赐福显神威　　　莺燕闹春杨柳青
　　　　　（李　涛）

暂借荆山栖彩凤　　　瑞霭满堂年喜庆
聊将紫水活蛟龙　　　神龙闹海世清明

紫气缭桐招凤落　　　鹊唱枝头辞旧岁
春雷带雨壮龙腾　　　龙腾海上庆新春

紫微祥气腾龙态　　　摆头生瑞迎春至
伟业宏图壮国威　　　张口吐祥送宝来
　　　　　　　　　　　　　　（王定清）

紫燕飞来寻玉兔　　　暖柳早莺辞兔友
黄鹂唱起戏金龙　　　蓝天新燕唱龙春
　　　　　　　　　　　　　　（吕德禄）

紫燕庭前传吉语　　　辞兔迎春歌大有
金龙户外报佳音　　　乘龙跨纪奔小康

紫燕鸣春歌盛世　　　锦绣山川春色绣
金龙闹海涌新潮　　　奔腾江海巨龙腾
　　　　　（时　杰）

紫燕裁春春入画　　　锦绣中华催凤起
金龙送福福盈门　　　崭新世纪策龙飞
　　　　　（潘继洲）　　　　　　（陈立春）

新编十二生肖春联

新岁迎来新世纪　　　　　　簇锦团花春入画
大龙谱写大文章　　　　　　飞龙舞凤业蒸云
　　　　　　　　　　　　　　　　　　（吴岱宝）

新岁迎春跨新纪　　　　　　燕舞迎春九野绿
神州焕彩舞神龙　　　　　　龙腾开纪百花红
　　　　　（杨良友）　　　　　　　（胡承文）

新纪开元丹凤舞　　　　　　燕舞春风春舞燕
庚辰跃彩巨龙飞　　　　　　龙腾世界世腾龙
　　　　　（陈　平）　　　　　　　（苗恩来）

新纪龙吟云焕彩　　　　　　燕舞莺歌逢盛世
春山鸟语树开花　　　　　　龙腾虎跃贺新年
　　　　　（寇利群）　　　　　　（李　涛）

新纪多姿龙奋舞　　　　　　燕舞莺歌相媲美
华图溢彩鸟衔春　　　　　　龙腾虎跃竞争先
　　　　　（翟功印）

新纪春风苏大地　　　　　　鞭炮飞花鸣盛世
龙年惠雨泽人民　　　　　　金龙献瑞庆丰年
　　　　　（赵　鹏）　　　　　　（刘志杰）

碧海惊涛龙献瑞　　　　　　蟾宫兔跃春光美
苍梧茂叶凤呈祥　　　　　　华夏龙腾世纪新
　　　　　　　　　　　　　　　　　（张国栋）

翠岭绿回金兔去　　　　　　一柱擎天九龙腾跃
大江舞出玉龙来　　　　　　八仙过海五岳欢歌
　　　　　（马道荣）

稼穑莫图宋子兔　　　　　　大业中兴宏图再展
诗书不好叶公龙　　　　　　神龙起舞祖国长春

大地春回凤鸣盛世
中华崛起龙有传人

山清水秀龙游凤舞
雨顺风调马跃人欢

玉兔回天金龙行地
神州焕彩故国迎春

玉兔行天城乡巨变
金龙耀地世纪更新
　　　　　（范高标）

玉兔呈祥频添锦绣
金龙兆瑞再创辉煌
　　　　　（程彭达）

玉兔荣归春开美景
潜龙奋起瑞兆新天
　　　　　（李景宁）

龙上高天凤翔过树
春盈大地花漫神州

龙凤呈祥阳春锦绣
鲲鹏展翅华夏腾飞

龙凤炳文神州焕彩
鲲鹏展翅华夏腾飞

龙启吉祥云蒸霞蔚
花开富贵人寿年丰

龙的传人强邦富国
春之使者润土丰年

龙钟传技不留一手
老树著花贵有繁枝

龙腾万里风调雨顺
政惠三农国泰民安
　　　　　（王肇珂）

龙腾云海凤翔天宇
春满江山花漫神州

四海英才龙腾虎跃
千秋大业霞蔚云蒸

华夏龙腾春辉无限
神州虎跃气象万千

吞云吐雾金龙崛起
展志舒情彩凤腾飞

技擅雕龙是君子器
功成刻鹄有高人风

沧海欢腾金龙起舞
春风骀荡玉凤朝阳

兔奔月宫春天脚步
龙吟大海中国声音
（李进维）

兔毫绘就四时美景
龙角挑开一路春光
（黄　　钟）

兔腾大地清辉万里
龙舞长空捷报千传

柏叶为铭椒花献瑞
龙缠肇岁凤纪书元

辞兔迎龙一元复始
呈祥献瑞万象更新
（郑　　楚）

新纪欣逢山欢水笑
阳春喜庆凤舞龙腾
（梁乃轼）

璧合金瓯神州焕彩
龙腾玉宇世纪更新

一柱撑天宇神州崛起
五星耀中华巨龙腾飞

玉兔回宫喜迎新世纪
金龙下界更展大宏图

玉兔辞行放歌新世纪
金龙献舞迈步好前程
（雷连生）

龙子龙孙龙年会龙穴
虎头虎脑虎气生虎威

龙驾祥云布五洲瑞气
兔归皓月歌四海升平
（刘本贤）

龙腾贺岁年年攀月桂
凤舞迎春岁岁跳龙门
（陈钦佑）

东海跃明珠金龙献瑞
南天开淑景黄鸟鸣春

四柱擎天看神州巨变
五星焕彩引玉龙腾飞

百姓喜金瓯同歌宝鼎
九州辞玉兔共接神龙

虎跃龙腾建功九万里
莺歌燕舞造福两千年

金龙显现盛世风光美
紫燕新来山河景色奇
（沙俊清）

兔去五光十色山山秀
龙来万紫千红处处春
（梁廷昌）

兔岁庆丰收八方跃进
龙年跨世纪万里腾飞
（李汗志）

兔返蟾宫传人间盛事
龙翔海宇跨世纪新途
（邹元生）

兔隐绿原写百年伟业
龙腾碧海开世纪新春
（胡承鸿）

春来大地微风吹绿柳
喜进善家笑脸接祥龙

起凤腾龙千家争贡献
移山填海十亿尽风流

祥云朵朵嫦娥陪玉兔
福浪滔滔敖广会蛟龙
（刘功才）

喜气满庭阶春来福地
凯歌传江海鱼跃龙门

为国争光可上九天揽月
给民造福敢入四海擒龙

玉兔回宫醉恋人间秀色
金龙跃海饱餐世纪春晖
（王 亮）

玉兔回眸眷恋人间美景
金龙翘首掀开华夏新篇
（王清文）

玉兔回蟾宫长空悬朗月
金龙上华表大地起祥云
（邝金鼻）

玉兔回蟾宫长空悬朗月
金龙上华表大地庆新春

玉兔驻足留恋今朝美景
金龙昂首欣观明日蓝图
（郭保中）

玉兔祥和送走风云百岁
金龙欢跃迎来锦绣千年
（谢晋轩）

龙天龙地龙人龙腾寰宇
凤土凤山凤水凤舞神州
（丁 峰）

龙吟福正好燕语日初长
万古春浩荡四海龙飞腾

百鸟鸣春堪喜人间换岁 　　天下皆春长街喜看龙灯舞
群龙献瑞欣逢世纪更新 　　人间改岁小院欣闻爆竹鸣

南疆雨北国风风调雨顺 　　玉兔归时羡慕人间春色美
东海龙西山凤凤舞龙飞 　　金龙跃处喜看华夏画图新

兔走乌飞莫放光阴虚度 　　玉兔回宫永羡人间春色舞
龙腾虎跃当争事业有成 　　金龙献岁常牵天际彩云归
　　　　　（孟　俊）

兔跃九天九域民安国泰 　　玉兔归宫新春喜气连天外
龙呼四海四时雨顺风调 　　金龙出海改革波澜动地来

兔辞玉乾坤龙腾花世界 　　玉兔回宫永羡人间春色美
浪打龙宫鼓风敲月下门 　　金龙贺岁常牵天际彩云归

黄鹂歌万首迎金龙献瑞 　　玉兔追风喜接丰收来大地
紫燕酒千樽送玉兔飞天 　　金龙运气宏开新纪写春光
　　　　　（段清香）

辞旧岁喜看金秋硕果累 　　玉兔辞年喜鹊登梅歌盛世
迎新年欢庆龙春气象新 　　金龙迎岁和风剪柳绣新春

赞歌万首喜迎金龙出海 　　五洲欢腾送兔走春风浩荡
美酒千樽欢送玉兔归山 　　四海同庆迎龙腾壮志凌云

人杰地灵欣闻禹域鸣雏凤 　龙年龙裔看龙舞龙飞天上
物华天宝喜看神州起卧龙 　春节春风送春光春满人间

大业辉煌玉兔颂神州盛典
宏图灿烂金龙腾世纪新程
　　　　　（尹寿华）
大地回春九州共奏和谐曲
祥龙献瑞四海同歌大有年
　　　　　（符中文）
大地春融玉兔载功回月殿
长天吐瑞金龙携福降人间
　　　　　（叶信良）
丹凤朝阳凤岭凤鸣歌盛世
玉龙夺锦龙城龙舞迓新春
　　　　　（潘继洲）
玉兔飞奔四海欢歌新世纪
金龙起舞九州喜庆艳阳天
　　　　　（黄庆易）
玉兔升腾天宫探秘送捷报
金龙飞舞文化兴邦掀巨澜
　　　　　（张永智）
玉兔光临九天星斗齐开眼
金龙奋起四海妖魔尽失魂
　　　　　（熊铤清）
玉兔回宫山清水秀千秋美
金龙出海雨顺风调万物苏
　　　　　（胡久胜）
玉兔回宫无碍人间春色舞
金龙降世常牵天上彩云归
　　　　　（李东雄）

玉兔回宫欣看神州铺锦绣
金龙出海乐为世纪播春晖
　　　　　（贺考祥）
玉兔欢归世纪钟声开泰运
金龙劲舞春天脚步奋新程
　　　　　（周继勇）
玉兔呈祥织就宏图欢起舞
金龙启泰化成激浪更腾飞
　　　　　（符中文）
玉兔呈祥五福临门添喜气
金龙贺岁三阳耀地进财源
　　　　　（尹春保）
未负时光玉兔超前舒创意
再添锐气金龙跨纪更扬威
　　　　　（许玉书）
龙岁祥和新纪曙光凝紫气
前程锦绣中华特色浴春风
　　　　　（许其衡）
龙虎精神龙子龙孙功不灭
江山锦绣江南江北水长流
龙闹北溟千里冰凌千里雪
春回南岭万枝火橘万枝梅

龙种自与常人殊况逢龙岁
鹏鸟岂堪同日语绝胜鹏抟

岁序更新玉兔当财于吉地
春联换旧金龙送宝入祥门
　　　　　　　　（尹春保）
岁届龙年好跳龙门题雁塔
身弥虎劲敢凭虎胆占鳌头

华夏龙腾长城内外皆春色
神州虎跃大江南北尽朝晖

华夏腾飞时势造就新业绩
巨龙昂首英雄独领好风骚

旭日曈曈玉兔扬蹄驰绿野
春潮滚滚金龙奋爪跃苍天
　　　　　　　　（周爱联）

庆典捧珠兔月扬辉光玉宇
鼎新跨纪龙人昂首立强林
　　　　　　　　（李轩才）

江山造化昨逢信风纵赤兔
天地回元今遇时雨飞黄龙

赤兔追风万里前程铺锦绣
金龙吟日千秋大业铸辉煌
　　　　　　　　（王苹非）

改天换地狮啸八荒光八极
揽月摘星龙吟九派熠九州

灵兔闹园春送祥风苏碧野
巨龙腾宇人挥大笔奋新程
　　　　　　　　（张长有）
画海诗天神州美景能人绘
云龙山虎禹甸宏图巧手描

雨润青苗龙腾万户春圆梦
风苏沃野兔壮千家福起图
　　　　　　　　（宋　领）

虎步龙骧共创九州新世纪
莺歌燕舞同观四海好风光

虎将三千曾驭红鬃还伏虎
龙人十亿才跨赤兔又乘龙

物华天宝欣闻禹域鸣雏凤
人杰地灵喜看神州起卧龙

物阜年丰玉兔回宫腾紫气
财兴业旺金龙出海涌春潮

兔去龙来又是一年春光好
欢歌笑语依然万户瑞气腾

兔去龙来雨润九州添异彩
风调雨顺龙腾四海谱新篇
　　　　　　　　（彭希昌）

兔归月殿回眸犹恋丰年景
龙舞云霄昂首喜迎盛世春
　　　　　　（熊尚鸿）
兔走乌飞大舞兔毫辞兔岁
龙腾虎跃敢攀龙角接龙年

兔卧蓝田万里春风舒碧野
龙腾玉宇千家笑语乐新程

兔跃长空雪地清辉腾瑞霭
龙翔广宇云天彩电响春雷
　　　　　　（熊铤清）
兔跃龙腾瑞盈玉宇天光丽
珠联璧合春满金瓯世纪新

兔窟三营去岁财经已搞活
龙门一跃今年体制再更新

春满人间春花春草齐争艳
龙飞天上龙子龙孙各显能
　　　　　　（符中文）
荆艳莲香龙国迎春花织锦
日新月异鸿图焕彩景迷人

挥洒兔毫再写五千年麟史
光扬龙种重登九万里鹏程
　　　　　　（赵健之）

勇闯虎山虎贲虎将凭虎胆
畅游龙海龙子龙孙奋龙威
　　　　　　（凌一二）
载誉一国国中呈现图腾景
扬名四海海外欣观华夏龙
　　　　　　（张杰安）
绣水描山神州大地春常在
藏龙卧虎盛世人家福永存

雪花献瑞五龙鳞甲飞大地
绿酒添欢家人父子庆丰年

喜值龙年经济腾飞增国力
乐迎盛世人民幸福焕春光

喜遇新元凤舞龙飞歌盛世
珠还港澳瓯圆璧合接台澎
　　　　　　（牟桂潭）
紫燕争回万里神州春意闹
金龙再跨千秋大业锦图开
　　　　　　（阚东明）
紫燕知时百载深情归故里
金龙跨纪九天壮景入新图
　　　　　　（阚东明）
紫燕鸣春碧空燕剪正裁柳
金龙贺岁红霞龙族共举樽
　　　　　　（张永智）

瑞雪迎春梅红柳绿春光美
金龙贺岁国富民殷事业兴
　　　　　　（张　驰）

告别旧年华玉兔腾欢辞旧岁
欣迎新世纪金龙舞彩贺新春
　　　　　　（张国栋）

鼓角争鸣跨纪龙骧腾热浪
旌旗漫卷开元虎步舞长风

改革奏凯歌虎跃龙腾强盛景
文明开新局莺歌燕舞太平春

新纪新春万里江山披锦绣
龙年龙福千秋岁月焕光华
　　　　　　（莫本声）

虎跃龙腾万里长征风光无限
花香鸟语九州大地春色正浓

藏龙卧虎华夏大地春常在
人杰地灵文明古国福永存

佳节倍思亲厚望台澎同日月
群龙皆起舞欣迎港澳共团圆

爆竹飞花四海升平庆富庶
金龙献瑞九州欢乐唱丰年

海是龙故乡龙腾海宇龙兴起
春为花世界花吐春光花盛开

爆竹迎春春光明媚人心畅
金龙还世世纪崭新国力雄

海是龙故乡龙腾海宇龙光起
春为燕天地燕舞春风燕语新

龙跃九天呼风唤雨造福百姓
虎腾五岳电闪雷鸣振兴中华

骑飞虎奋云程广罗八方志士
降蛟龙迎新纪实现四海宏图

卯岁展宏图五湖四海歌大有
辰年逢盛世千村万户讲文明

爆竹辞旧岁玉兔毫光生紫气
华灯照新春金龙捷足步青云

把酒弄金樽神州月醉金龙舞
擎旗开玉局大地云飞玉兔欢
　　　　　　（吴玉明）

岁属龙龙布雨雨顺风调呈稔岁
春迎燕燕衔花花团锦簇贺新春

兔返蟾宫喜传去岁改革形势好
龙腾华夏欢庆今年开放浪潮高

（余子衡）

勤劳方致富迎新切勿守株待兔
奋发定图强送旧正宜破壁腾龙

（凌一二）

巨龙迎盛世狂欢爆竹声声辞旧岁
喜鹊羡故园起舞梅花朵朵报新春

玉兔欢奔金乌飞飞向春光明媚处
雄狮抖擞巨龙舞舞来华夏太平年

来自云天出角露牙与虎几番争斗
兴于河海负图衔甲同马一样精神

真豪杰无私无畏敢锯孽龙头上角
是英雄有胆有识能拔猛虎口中牙

紫燕舞东风正凤岭春浓凌河水暖
金龙开盛纪喜三燕铺锦九域呈祥

（潘继洲）

巨龙凌空雄狮拜地爆竹声声辞旧岁
紫燕展翅绿柳吐丝梅花朵朵迎新春

神州儿女九天揽月八面威风施国策
华夏文坛万象更新一池翰墨舞蛟龙

（李文君）

龙游东海马放南山龙马精神传万代
虎啸西冈牛耕北国虎牛威力震千秋

绿抹柳梢红燃花萼燕舞莺歌相媲美
春临世界喜降人间龙腾虎跃竞争先

兔去龙来四海喜金瓯共祝三通图一统
花明柳暗九州歌宝鼎同期两制乐千秋

看金凤起舞凌水欢歌和风笑染枝头绿
喜玉兔呈祥金龙献瑞紫燕忙衔柳邑春

（潘继洲）

玉兔归巢看犬吠猴行蛇惊鼠匿鸡鸣万户迎新纪
金龙出洞喜牛奔虎啸豕壮羊肥马跃千蹄踏早春

（熊剑文）

巳 蛇

蛇的象征意义

　　人们常常把蛇雅称为"小龙",以示尊崇。蛇脱下的皮叫蛇蜕,也被称为"龙衣"。农历二月初二,据传是蛇结束冬眠,出洞活动的日子,也被称为"龙抬头"。这些都是把蛇比为龙。而事实上,龙也是人们在蛇的基础上添枝加叶想象附会而成的。尽管如此,蛇与龙的地位及敬奉象征意义是有天壤之别的。也许因为龙并不真正存在,人们可以随意塑造龙的形象,而蛇是人人都见到过的,尤其是毒蛇还伤人致命,因此人们对蛇的印象就很不好了。龙在中国文化中的地位崇高无比,它是权势、高贵、伟大的象征,又是幸运、吉祥、成功的标志。因此在封建王朝,龙是专用的,别人不得僭越。皇帝被称为"真龙天子",皇帝的子孙被称为"龙子龙孙"。作为炎黄子孙,中国人又被称为"龙的传人"。由此可见龙的地位之高了。如果说龙是"阳春白雪"的话,相比之下,作为龙的原型的蛇的象征意义连"下里巴人"也算不上。

　　蛇的象征意义,人们首先想到的是它的狠毒。很多人一想到蛇,马上就有一种莫名其妙的恐惧感。为什么人们会那么恐惧蛇呢? 除了蛇的形状怪异外,主要是有关毒蛇的神话传说、寓言故事等对人们的影响。毒蛇在整个蛇的家族中只占极少数,曾被毒蛇咬伤过的人微乎其微,但关于毒蛇的故事使人们对蛇已经有了深深的先入为主的印象。绝大多数人还没见过蛇,甚至并不知道蛇为何物时,就已经对蛇有一种恐惧心理了。

在这些神话传说故事中,"农夫和蛇"的寓言深入人心,家喻户晓。这则寓言是关于蛇狠毒的最典型的故事。蛇不仅有毒,而且忘恩负义,改不了狠毒的本性。在其他的有关蛇的传说故事中,也有很多是关于蛇兴风作浪、危害人类的内容,这无疑更加深了人们对蛇的坏印象。人们用蛇来形容人的狠毒,如说某人"蛇蝎心肠"。在以男子为中心的社会,妇女在很多时候被认为是祸害之源,因此有"女人是毒蛇"的话。

蛇的第二个象征意义是阴险、冷漠。这大约与蛇是所谓的"冷血动物"有关,因此阴冷也被认为是蛇的特性。再加上蛇没有声带,不能发出声音,这更加深了它阴冷的印象。那些外表美丽、内心阴险狠毒的女人被称为"美女蛇"。在某些有关侦破、间谍内容的文学作品中,也常有美女蛇的形象。

蛇的第三个象征意义是神秘莫测。蛇没有脚却可以爬行,又往往来无影去无踪,显得很神秘。神秘导致人们对蛇的崇拜。上古人们对蛇的危害和威胁无能为力,为了笼络蛇,使其施恩于人,人们把它当作神来敬仰和崇拜。由神秘而带来的是种种禁忌。我国各地各民族都有各种关于蛇的禁忌。如忌说"蛇无脚",害怕蛇真的长出脚来追人;忌见蛇交配、忌用手指蛇、忌看到蛇蜕皮,贵州有些地方的民谚说"见到蛇脱皮,不死也脱皮";苗族有的地方,接新娘途中忌看到蛇从前面经过;安徽有些地方的人梦到蛇,认为这是有人暗算的预兆;很多人忌见到蛇"脚",更忌见到"两头蛇",认为这都是凶兆。据说战国时期楚国的孙叔敖小时候曾见过两头蛇，这本来不是好兆头，但孙叔敖为了不让其他的人再看到这条两头蛇而遭殃，就把这条蛇打死埋葬了。想不到孙叔敖因此逢凶化吉，后来成为楚国的一代名相。总之，伴随着对蛇的神秘感的蛇禁忌有很多，有的禁忌至今仍在流行。

　　蛇的第四个象征意义是狡猾。这个象征意义是"舶来品"，源于《圣经》。《圣经》中说，蛇是上帝耶和华所造的万物之中最狡猾的一种，由于它的引诱才使在伊甸园中的夏娃和亚当偷食了智慧之果，亚当和夏娃被赶出了伊甸园，从此人类有了"原罪"。为了赎罪，人类必须敬仰上帝，经受各种苦难。蛇也受到了惩罚，只能用肚子行走，终生吃土，并与人类为仇。

　　其实，换一个角度看，"狡猾"未尝不可以看作是机智、智慧、聪明的代名词。用"狡猾"来形容蛇的作为是不准确的。想当初，上帝创造了亚当和夏娃之后，并没有给他们智慧和能力。他们在伊甸园里赤身裸体，连起码的羞耻之心也没有，整天无所事事，饿了就吃树上的果子。正是因为蛇的引导，才使人类的始祖摆脱了没有智慧的愚昧状态。吃了智慧树上的果子之后，亚当和夏娃没有死，反而眼睛明亮，有了智慧，能知羞耻，所以才用无花果树的叶子编成裙子遮羞。亚当和夏娃被赶出伊甸园之后，才真正开始了人类的劳动和繁衍，才有了人类的今天。

　　如果比较一下古希腊神话的盗火之神普罗米修斯和《圣经》诱惑人类始祖吃智慧果的蛇，就会发现，人们对蛇的评价和印象很不公平。最初人类没有火，众神之神的宙斯决定不给人类火种。普罗米修斯冒死盗得火种交给人类。宙斯大发雷霆，将普罗米修斯锁在高加索山的悬岩峭壁上，并让一只鹫鹰去啄食普罗米修斯的肝脏，肝脏被吃后立即又长出来，长出来后又被吃掉，鲜血将他脚下的大地都浸透了，他就这样受着无穷无尽的巨大痛苦。普罗米修斯为了人类的利益而付出了巨大牺牲,因此他受到了人们的尊敬和赞扬,成为千古舍生取义的典范和楷模。可是,相比之下,给予人类智慧的蛇不仅受到耶和华的诅咒和惩罚,还成为人类世代的敌人,直到今天,它仍是邪恶和狡猾的代名词。普罗米修斯后来被大力神赫拉克勒斯解救而获得了自由,但蛇所受的惩罚什么时候能够结束呢?

无论是中国文化,还是西方文化,蛇的主要象征意义是贬义的。但也不完全如此,蛇的象征意义还有褒义的一面。

蛇的正面的第一个象征意义是幸运、吉祥和神圣。人们把蛇分为家蛇和野蛇,有些地方认为家里有了家蛇是吉兆。在国外,古埃及人认为蛇是君主的保护神。法老用黄金和宝石塑造了眼镜蛇的形象,并饰进皇冠,作为皇权的徽记。公元前的欧洲国家使节把两条蛇的形象雕刻在拐杖上,代表使节权,是国际交往中使节专用的权杖,蛇又成为国家和权威的象征。

蛇的第二个正面的象征意义是追求爱情和幸福。这一意义主要体现在中国民间传统故事《白蛇传》中。

蛇的第三个正面的象征意义是长寿、生殖和财富。在中国文化中,蛇和龟是长寿的象征。练习瑜伽功的人认为蛇可以活五百年,人体内有一种像蛇一样盘绕着的力,称为"蛇力",只要修炼得法,就可以把这种力释放出来。蛇还是财富的象征,蛇有自己的地下王国,里面有无数宝藏,所以想发财致富的人必须到蛇庙中去虔诚祈祷。

蛇的第四个正面象征意义是医药和医学。中国民间认为,蛇有识别药草的能力。

每逢农历的己巳、辛巳、癸巳、乙巳、丁巳年,都是蛇年。

蛇年春联

小龙昂首
大地回春
　　　　（赵　根）

小龙春至
大有年来
　　　　（赵　根）

小龙蛰起
大地春归
　　　　（郭保中）

龙归大海
蛇展宏图
　　　　（张中靖）

龙年献瑞
蛇序呈祥

龙传捷报
蛇播春晖
　　　　（刘伯通）

龙吟大雅
蛇吐骊珠
　　　　（赵　根）

龙征大有
蛇续小康
　　　　（赵　根）

龙蛇交岁
梅柳争春
　　　　（徐思明）

龙辞旧纪
蛇启新元
　　　　（柴　逸）

龙骧盛世
蛇报佳春

金蛇狂舞
玉龙腾飞
　　　　（郭保中）

金蛇贺岁
紫燕迎春
　　　　（何　渭）

银蛇舞雪
彩凤栖梧
　　　　（吴光华）

山舞银蛇日
地铺瑞雪时

山舞银蛇日
地披红杏时

山舞银蛇景
梅香瑞雪春

龙吟山海壮
蛇舞国家安

龙人承国运
蛇岁畅春风

龙吟新社会
蛇舞好江山

龙飞天下瑞
蛇舞世间春

龙年迎胜纪
蛇岁发生机

（李德芬）

龙飞新纪始
蛇舞正春开

龙年临百福
蛇岁纳千祥

（寿新元）

龙飞新起点
蛇舞好开头

龙年歌大有
蛇岁绣中华

（何国平）

（刘功永）

龙去春回早
蛇来富至先

龙创辉煌业
蛇开锦绣春

龙去神威在
蛇来灵气生

龙报丰收岁
蛇迎新纪年

（邹万寿）

龙去神威在
蛇来紫气生

龙怀强国志
蛇生富国情

龙吟山海壮
蛇舞国民欢

龙怀强国志
蛇舞富春图

龙留丰稔景　　　　　龙舞迎新纪
蛇舞吉祥图　　　　　蛇飞报早春

龙留清淑景　　　　　龙潜藏远志
蛇舞吉祥年　　　　　蛇舞蕴春雷
　　　　　（时　杰）

龙蛇交替舞　　　　　史开新世纪
岁月更迭新　　　　　岁庆小龙年
　　　　　　　　　　　　（梁国栋）

龙腾丰稔岁　　　　　花开四季馥
蛇舞吉庆年　　　　　蛇舞九州春
　　　　　（草　野）

龙腾世纪瑞　　　　　花放三春馥
蛇舞吉祥春　　　　　蛇腾九域辉
　　　　　（杜正尧）

龙腾传捷报　　　　　花放山河丽
蛇舞兆丰年　　　　　蛇迎世纪春

龙腾新世纪　　　　　花柳春风绿
蛇舞好山河　　　　　蛇年瑞气盈
　　　　　（王战裕）

龙腾谋发展　　　　　青松披瑞雪
蛇舞构和谐　　　　　绿草映灵蛇
　　　　　　　　　　　　（韩崇文）

龙舞山河壮　　　　　国强民幸福
蛇盘世纪新　　　　　蛇舞世升平

金蛇行瑞气　　　　　致富蛇盘兔
玉燕剪春风　　　　　迎春燕偕莺
　　　（凌一二）

金蛇含瑞草　　　　　捷报书宏志
紫燕报新春　　　　　春风乐小龙
　　　（草　野）

金蛇狂舞日　　　　　盛世酬奇志
紫燕报春时　　　　　新春舞小龙

金蛇盘玉兔　　　　　蛇衔长寿草
赤帜舞神州　　　　　燕舞吉祥家

春书金福字　　　　　蛇酿新年酒
节咏小龙诗　　　　　花开盛世春
　　　（赵　根）

春归蛇起舞　　　　　蛇舞升平世
福到鸟争鸣　　　　　莺歌富贵春
　　　　　　　　　　　　（童双清）

春来千野绿　　　　　蛇舞文明曲
蛇舞四时新　　　　　龙吟世纪春
　　　　　　　　　　　　（马少良）

春到田畴绿　　　　　银蛇盘玉兔
蛇来淑景新　　　　　喜鹊闹红梅

春描西部画　　　　　银蛇携福气
节赋小龙诗　　　　　紫燕舞春风
　　　（赵　根）

雄心追日月
健笔走龙蛇

九州崛起龙蛇舞
十亿腾飞骏马欢

（刘福铸）

（郭保中）

睛点龙飞去
珠还蛇舞来

九州崛起龙蛇舞
十亿腾飞骐骥欢

爆竹欣祝福
银蛇乐报春

大业中兴新世纪
宏图再展小龙年

爆竹欣祝福
银蛇喜迎春

大地回春大家乐
小龙起舞小康来

（凌一二）

日丽风和蛇舞
民强国富龙腾

大泽龙伏藏远志
莽原蛇蜕蕴生机

（郭保中）

八法龙蛇寻奥妙
万方翰墨出精微

大治江山铺锦绣
小龙日月铸辉煌

人民有福歌新政
祖国长春舞小龙

大展宏图华夏伟
新开世纪小龙飞

人怀壮志江山秀
蛇报新春世纪新

万里东风裁锦绣
一江春水起龙蛇

（王德明）

人类喜迎新世纪
神州欢度小龙年

万里春风莺戏柳
一江碧水蛇飞波

（唐金标）

山欢水笑普天乐
龙去蛇来遍地春

山高水远人增志
蛇接龙年地满春

山蛇起舞云行雨
喜鹊争鸣雪点梅

山舞银蛇千岭秀
原驰蜡象九州娇
（韩崇文）

山舞银蛇尘垢净
天萦紫气彩云开

山舞银蛇当雪霁
堂归紫燕正春浓
（林应禧）

山舞银蛇呈瑞色
原驰蜡象兆丰年
（刘福铸）

山舞银蛇迎巳岁
原驰蜡象送辰年

山舞银蛇诗溢彩
河飘碧带画飞霞
（张国栋）

山舞银蛇春烂漫
人欢盛世福绵长

山舞银蛇春烂漫
路驰骏马景妖娆

山舞银蛇梅报喜
江飘玉带柳生春
（江深根）

山舞银蛇梅贺岁
水流清韵鸟吟春
（章万福）

山舞银蛇催腊去
院飞紫燕报春来
（戚万丰）

山舞银蛇新岁至
柳穿紫燕早春来

千里东风催快马
九州盛世舞银蛇
（关　学）

小龙起舞神州地
祖国腾飞大治年

小龙强似大龙健
新岁胜于旧岁红
（王德明）

小龙得志行风雨
彩蝶迎春戏牡丹

小龙腾绿原之野
祖国跃富强之林

巳岁迎春花开早
蛇年纳福喜报多

丰岁龙腾盈喜气
新年蛇跃涌春潮

　　　　　（夏民安）

丰收喜讯龙刚报
长寿灵芝蛇又衔

丰年盛景龙蛇舞
新岁春光彩蝶飞

丰稔龙年留喜气
小康蛇岁溢春潮

天地迎春弃旧貌
龙蛇接力展宏图

天呈瑞象应新岁
山舞银蛇庆早春

　　　　　（葛便南）

天征瑞象迎新岁
山舞银蛇庆早春

天蓝水碧青蛇降
柳绿桃红紫燕飞

天浴朝阳蓬勃气
蛇含芝草吉祥年

天增岁月开新纪
春满乾坤舞小龙

云舞银蛇尘垢净
天嘘紫气彩云开

　　　　　（草　野）

云霞燕舞春光艳
灵草蛇衔福气浓

日暖千山蛇起舞
春融九域凤来翔

　　　　　（李路红）

风光无限蛇开泰
事业有为国展姿

风华正茂青春美
蛇岁呈欢世纪新

风调雨顺年丰稔
龙去蛇来岁吉祥

凤舞龙飞添宇秀
龟祥蛇瑞益国辉
　　　　（郭保中）

去年龙蛰千重景
今日蛇迎四海春

节到中华蛇献瑞
春临盛世凤呈祥

世纪门前蛇起舞
梧桐树上凤呈祥

世纪更新人不老
灵芝献寿蛇迎春

世纪神州添锦绣
蛇年伟业更辉煌

龙人素有凌云志
蛇岁岂无创业情
　　　　（凌一二）

龙入海宫欣报绩
蛇出山洞喜迎春
　　　　（郭保中）

龙飞玉宇雄风在
蛇出金山灵气生

龙飞自有光明地
蛇舞同歌锦绣天
　　　　（方国礼）

龙飞蛇舞升平岁
燕语莺歌盛世春

龙去蛇来吟古韵
莺歌燕舞谱新章

龙去蛇来谋发展
莺歌燕舞唱和谐

龙去含珠辞旧岁
蛇来献宝贺新春

龙归大海风波息
蛇舞群山草木荣
　　　　（方国礼）

龙归大海传佳讯
蛇舞神州绘壮图

龙归大海雄威在
蛇舞神州锐气生
　　　　（万中伟）

龙归西部春来早
蛇到北疆绿化宽
　　　　（赵　根）

龙归金洞民生福
山舞银蛇锦绣春

龙归沧海功昭著
蛇出深渊展壮猷
　　　　（杨济宽）

龙归紫洞云霞翠
蛇到青山草木香

龙归碧海波涛舞
蛇到青山草木新

龙归瀚海祥云兆
蛇舞新春紫气腾

龙岁才舒千里目
蛇年更上一层楼

龙岁已开新世纪
蛇年又展好春光

龙岁已筹百业果
蛇年更上一层楼
　　　　（杜正尧）

龙岁龙腾圆旧梦
蛇年蛇舞步新程
　　　　（程　鸿）

龙回海底欣迎岁
蛇出山穴喜报春

龙年共庆辉煌日
蛇岁同奔锦绣程

龙年国展腾飞志
蛇岁民抒奋发情

龙年富有家家福
蛇岁平安处处春

龙庆丰年结硕果
蛇迎新纪展宏图
　　　　（林忠凡）

龙兴大业开新纪
蛇舞阳春报福音

龙兴大业开新纪
蛇舞阳春奏凯歌

龙戏宝珠辞旧岁
蛇衔瑞草贺新春

龙戏高天鱼戏水
蛇游大泽燕游春

龙蛇共舞三春景
鸾凤齐鸣四海祥

龙抖雄姿归大海
蛇含瑞气报年华

龙蛇共舞迎新纪
鞭炮齐鸣过大年

（张耕余）

龙吟碧落存余韵
蛇舞神州唱大风

龙蛇竞舞春光艳
骐骥争驰淑景新

（陈立春）

（夏民安）

龙别旧年归大海
蛇迎新纪莅神州

龙喜回宫多报捷
蛇欣出洞再迎春

（黄汉如）

龙驾祥云门敛福
蛇衔瑞草户迎春

龙翔碧海浪涛起
蛇走深山劲草生

（祖振扣）

龙昭日月雄风在
蛇壮山河锐意增

龙携硕果回宫去
蛇展宏图布瑞来

龙送珍珠辞旧岁
蛇含瑞气贺新春

龙腾九域千年禧
蛇舞三春万象新

龙逐神舟银汉渡
蛇游圣海锦春归

龙腾大地春阳丽
蛇舞神州胜纪新

（祖袭尧）

龙留瑞气常萦户
蛇报福音久驻门

龙腾千禧祥云合
蛇舞百年泰运开

（叶祖培）

龙腾广宇江山丽
蛇舞神州岁月新

龙舞长空云焕彩
蛇巡大地鼠潜踪
　　　　　（彭秀奎）

龙腾四海千家乐
蛇舞九州万里新

龙舞长空臻百福
蛇行沧海纳千祥
　　　　　（张　耐）

龙腾四海家家乐
蛇舞九州处处新

龙舞天宫新日月
蛇钻地壳改山河
　　　　　（郭保中）

龙腾乐土春光好
蛇舞神州气势雄

龙舞新天开广宇
蛇出灵地改乾坤
　　　　　（郭保中）

龙腾华夏春光丽
蛇舞神州福气浓

龙藏金涧饮春酒
蛇舞银川兆吉祥
　　　　　（覃钦大）

龙腾宇际春烂漫
蛇步锦程业辉煌

戊辰传捷龙辞旧
己巳报春蛇迎新

龙腾流火蛇如练
日染祥云月泻辉
　　　　　（解维汉）

四海龙腾佳日去
千年蛇舞早春来

龙腾盛世千年瑞
蛇舞神州万代荣

四野蛇呈丰稔景
万民雀跃艳阳天

龙裹神威归瀚海
蛇含瑞气舞吉祥
　　　　　（解维汉）

旧岁龙标金榜去
新年蛇献玉珠来
　　　　　（冯萌献）

旧岁庆功新岁继 岁辞大泽春风劲
大龙翔宇小龙腾 人舞小龙世纪新
　　　（陈怀志）

旧岁欢辞新岁喜 岁辞龙尾春光好
大龙酣舞小龙腾 山舞蛇姿景色新
　　　（刘福铸）

出常山而雄岁月 岁辞龙尾春娇艳
腾大泽以壮神州 喜挂蛇头国富强

吉兆丰年飞瑞雪 宇翔玉凤人间暖
春临禹甸献灵蛇 域舞银蛇岁序新
　　　（祖袭尧）　　　（秦三沐）

老凤嘤鸣雏凤举 寿比青松福比海
大龙起舞小龙腾 蛇盘玉兔鹊盘梅
　　　（何文杰）

当代英雄驱虎豹 寿草惊蛇开眼绿
崭新世纪舞龙蛇 春花惹蝶向阳红

当代精英抒壮志 花沐春风招彩蝶
蛇年禹甸起宏图 柳摇残雪舞银蛇
　　　　　　　　　　　　（周玉珊）

岁去年来新换旧 时来海内龙蛇舞
龙潜蛇舞景成春 春到人间草木知
　　　　　　　　　　　　（王德明）

岁逢大治春明媚 灵蛇飞舞千山秀
年舞小龙景妖娆 神骏奔腾九野新

灵蛇飞舞春光好 金凤展翎辞旧岁
神骏奔腾曙色新 银蛇吐宝贺新春
　　　　（杨　秋）

灵蛇有幸吐春意 金蛇狂舞丰收岁
小院无尘蕴福音 玉燕喜迎幸福春

灵蛇有意降春雨 金蛇狂舞迎春曲
绿叶无私缀牡丹 丹凤朝阳纳吉图

灵蛇出洞吐春意 金蛇狂舞迎春闹
喜鹊登梅报福音 玉凤欢歌展翅翀
　　　　　　　　　　　（陈立春）

灵蛇出洞金山艳 金蛇狂舞迎新纪
喜鹊登梅赤县春 瑞雪纷飞兆好年
　　　　（草　野）

灵蛇送宝百福至 金蛇狂舞春添彩
春雨落金万户欢 紫燕翻飞柳泛青
　　　　（吴岱宝）

灵蛇起舞迎新纪 金蛇狂舞春增艳
快马加鞭奔富途 华夏腾飞国益辉

灵蛇珠献祯祥岁 金蛇狂舞新春灿
骏马蹄扬改革年 华夏腾飞伟业昌
　　　　（刘福铸）　　　　（陈怀志）

虎兔归山林更茂 金蛇妙舞随金马
龙蛇出海水犹纯 玉律清音溢玉堂
　　　　（彭国强）

金龙披彩蛇披玉 春花吐艳蛇生瑞
喜鹊报祥燕报春 芝草含嫣鹿启祥

金蛇披彩新春到 春帖相延新换旧
喜鹊登梅幸福来 龙蛇交替瑞呈祥

金蛇起舞丰收岁 春意盎然蛇起舞
玉盏飞觞幸福春 民情振奋燕翻飞

金蛇起舞春雷动 城乡改革龙蛇舞
玉盏飞觞腊酒香 梅柳争春世纪新

金蛇漫舞丰收岁 柳引春风拂万物
玉燕喜迎幸福春 蛇凝瑞气贯九州

（解维汉）

金蛇漫舞春添彩 柳嫩梅娇迷紫燕
紫燕翻飞柳泛青 山清水秀恋银蛇

（陈福常）

金蛇献瑞开新纪 神龙载誉回天宇
彤日致和创丽章 金蟒迎春降世间

（黄庚清）

春风送暖蛇年好 笔走龙蛇资雅韵
瑞气盈门鹊语甜 诗题福寿贺新春

春色与龙蛇共舞 笔走龙蛇增雅韵
神州同世纪齐飞 纸浸翰墨放清香

（梁石 梁栋）

（柴　逸）

祥龙兆祥蛇兆福
喜鹊报喜梅报春

蛇献灵芝长寿草
民欢富裕小康年

盛世龙腾留伟业
新年蛇舞起宏图

蛇献金珠龟献寿
鸟鸣玉宇鹿鸣春

蛇吐宝珠辞旧岁
龙含瑞气贺新春

蛇腾瑞地地出宝
燕语新门门入春
（郭保中）

蛇吐宝珠辞旧岁
燕衔柳叶贺新春

蛇舞龙腾新世纪
莺穿燕剪锦乾坤
（从习根）

蛇行瑞气增春色
人展宏图壮国威
（草　野）

蛇舞阳春开玉宇
龙辞旧岁步新程
（庞文彪）

蛇年四季百花艳
燕影千家五谷丰

蛇舞新春新大地
龙飞瑞雪瑞长天
（郭保中）

蛇年应是花如锦
龙岁已成果似金
（周康杰）

银花火树新春夜
丹凤金蛇大治年

蛇年纳福鲜花盛
新岁迎春喜事多

银蛇飞舞山川秀
骏马奔驰日月新
（张景章）

蛇年喜庆丰收景
燕语欢歌幸福家

银蛇漫舞千家乐
紫燕欢歌万里春

银蛇舞出新风景　　　　　　　新燕歌春新纪降
玉燕裁来美画图　　　　　　　小龙舞岁小康临
　　　　　（凌一二）　　　　　　　　　（李　渡）

绿水欢歌歌盛纪　　　　　　　燕舞莺歌春万里
银蛇起舞舞新春　　　　　　　蛇行龙步福千家

喜气洋洋丰稔景　　　　　　　水笑山欢金蛇曼舞
春潮滚滚小龙年　　　　　　　花明柳媚黄鸟高歌
　　　　　（杨　威）　　　　　　　　　（童双清）

喜鹊高歌传捷报　　　　　　　世纪图新金蛇曼舞
金蛇狂舞庆丰年　　　　　　　神州大治玉宇澄清

联伴诗吟新世纪　　　　　　　龙凤呈祥招财进宝
福随春至小龙年　　　　　　　龟蛇起舞纳福迎春
　　　　　（周五常）　　　　　　　　　（徐立高）

鹊唱春枝加世贸　　　　　　　龙凤呈祥招财进宝
蛇临大地庆丰年　　　　　　　龟蛇献瑞纳福迎春
　　　　　（梁乃轼）

辞戊辰金龙述职　　　　　　　龙去蛇来星移物换
迎己巳银蛇报春　　　　　　　莺歌燕舞日暖风和

新纪必如昔纪跃　　　　　　　龙留喜气喜盈门户
小龙定似大龙飞　　　　　　　蛇闹春光春满山川
　　　　　（贾崇林）

新春喜鹊登枝唱　　　　　　　龙腾碧海人间改岁
吉地银蛇降福来　　　　　　　蛇舞青山大地皆春

龙舞庚辰功勋卓著　　佳节舞龙蛇千家进福
蛇荣辛巳岁月光辉　　东风荣草木万里迎春

岁序更新龙蛇竞舞　　桃李迎春北国江山丽
风光胜旧梅柳争春　　龟蛇献瑞南疆岁月新

岁序更新龙蛇竞舞　　喜气闹新年千家报喜
春风初度莺燕争鸣　　春风暖蛇岁万里迎春

虎跃龙腾金瓯焕彩　　喜炮闹元春千家接喜
蛇祥龟瑞玉宇增辉　　春风荣蛇岁万户迎春
　　　　（何　渭）　　　　　（草　野）
莺啼蛇舞鸢飞鱼跃　　爆竹声声龙吟随腊去
腐灭廉兴国富民强　　欢歌阵阵蛇舞伴春来
　　　　（周昌厚）
海晏河清龟蛇献寿　　天马行空日丽风和雨顺
风和日丽桃李争春　　灵蛇在握政通国泰民安
　　　　　　　　　　　　　　（夏胜千）
龙去雄风在江山不老　日丽风和喜看金蛇曼舞
蛇来灵气生岁月常新　民强国富远瞻骏马腾飞

龙岁升阶龙造故乡福　玉龙飞金蛇舞重开新纪
蛇年入世蛇迎新纪祥　锦帛展彩笔挥再写春秋
　　　　（黄汉如）　　　　　（田世昌）
刚过龙年走上康庄道　大地迎春柳伴梅香招蝶舞
新逢蛇岁迎来改革潮　高天降雨犁掀黄土应蛇行

大地迎春柳伴梅香招蜂蝶
文坛焕彩笔掀墨浪舞龙蛇

龙腾玉宇天更旧岁千家喜
蛇舞蓝图地换新年万户春
（刁武钧）

大地春回千里金涛香万户
小龙蛰起九州紫气贯长虹

龙舞雪花四野寒风随雪尽
蛇衔春色九天暖意逐春回

大地春回四海鲜花香竹院
小龙蛰起九州紫气贯长虹

龙骧新纪党政军民同奋进
蛇步锦程工农商学共腾飞

巨龙腾飞人和政举开新纪
银蛇狂舞国泰民安闹阳春

四海龙腾盈门喜气临春到
九州蛇舞满面春风报喜来

凤起蛟腾四海英才齐报国
龟伏蛇跃九州风物笑迎春

共迎蛇岁蛇藉龙威兴伟业
同振民邦民凭庶志展宏图
（朱鸿德）

凤舞龙飞锦绣河山添锦绣
蛇祥龟瑞光明中国更光明

旭日扬辉崭新世纪呈春色
灵蛇起舞大好河山架彩虹

凤舞龙飞锦绣河山添锦绣
蛇祥龟瑞富强中国更富强

岁祝平安旧岁峥嵘新岁富
龙吟祥瑞大龙起舞小龙欢
（李青松）

玉燕翻飞千秋大业千秋世
金蛇狂舞万里春风万里歌

时雨掀潮龙腾碧海乘雷去
春风解冻蛇舞青山破雾来
（李德裕）

龙归大海滚滚春潮逐浪起
蛇舞青云浓浓喜气盈门来

毒性配方解除世上许多苦
灵蛇献爱换取人间无限欢
（张杰安）

高歌龙岁放目欣看新业绩
巧干蛇年决心再夺大丰收
　　　　　　　　（李朝宁）

盛世挹春风芝草灵蛇迎瑞气
丰年歌善政奇山秀水沐朝阳

浪涌春江兼天后浪推前浪
龙腾盛世跨纪小龙换大龙
　　　　　　　　（马龙图）

掀改革浪潮神龙载誉回天宇
伴长征号角金蟒迎春降人间

蛇至龙回重开新岁人间景
山欢水笑又度佳节天下春

蛇岁纳千祥千家梅柳添新景
春光迎万福万里城乡报福音

海晏河清龙游蛇泳春潮涌
花明柳暗凤舞莺歌世纪新
　　　　　　　　（何文杰）

德政布寰中四海翻腾掀巨浪
春雷鸣广宇长空跃动舞银蛇

中华大气魄党政同心昌特色
辛巳小龙年军民协力振雄风

大龙传小龙连年奋进经天行地
老凤带雏凤尽日畅鸣悦耳清心

岁庆小龙年反腐倡廉昌国运
史开新世纪爱岗敬业振民魂

小龙破壁东来宏图大展迎新纪
骏马加鞭西去壮志殷酬接富春
　　　　　　　　（邓昌繁）

改革呼声高老凤争鸣雏凤唱
腾飞接力快大龙引导小龙来

龙携华夏腾飞飞起玉龙三百万
蛇伴新春狂舞舞来银蛇数千条

恭祝小龙年锦簇花团呈万象
宏开新玉宇雄伟火箭腾九霄

银蛇舞神州美千帆竞发辞旧岁
黄鹤飞禹甸阔万物峥嵘迎新春

江山永治银蛇起舞风调雨顺千年秀
日月同辉紫燕争鸣叶茂花繁万代春

　　　　　　　　　　　　　　（李文君）

巳岁不寻常欣瞻祖国繁荣处处管弦歌盛世
蛇年真雅化喜见城乡活跃家家诗酒贺新年

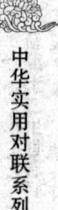

午 马

马的象征意义

马在中华民族的文化中地位极高,具有一系列的象征和寓意。"龙马精神"是中华民族自古以来所崇尚的奋斗不止、自强不息的进取、向上的民族精神。我们的祖先认为,龙马就是仁马,它是黄河的精灵,是炎黄子孙的化身,代表了华夏民族的主体精神和最高道德。它身高八尺五寸,长长的颈项,显得伟岸无比。骨骼生有翅翼,翼的边缘有一圈彩色的鬃毛,引颈长啸,发出动听的和谐的声音。这是多么神采骏逸的形象,多么潇洒昂扬的身姿!我们的祖先在世界观里已经把龙马等同于纯阳的"乾",它是刚健、明亮、热烈、高昂、升腾、饱满、昌盛、发达的代名词。《易经》中干脆说:"乾为马。"它是天的象征,又代表着君王、父亲、大人、君子、祖考、金玉、敬畏、威严、健康、善良、远大、原始、生生不息……这就是《周易·乾卦》中总结的那句中国人代代流传的最响亮的名言的由来:"天行健,君子以自强不息!"是的,这匹由我们民族的魂魄所生造出的"龙马",雄壮无比,力大无穷,追月逐日,披星跨斗,乘风御雨,不舍昼夜。这不正是中华民族战天斗地,征服自然的生动写照吗?不正是炎黄子孙克服困难,永远前进的生动比喻吗?不正是中国人民不畏艰险,乐观向上的生命意义的反映吗?

马又是能力、圣贤、人才、有作为的象征。古人常常以"千里马"来比拟难得的人才。千里马是日行千里的优秀骏马。相传周穆王有八匹骏马,常常乘着骏马拉的车子巡游天下。这八匹骏马,据晋代王嘉的《拾遗记·周穆王》:一名绝地,足不践土,脚不落地,可以腾空而飞;一名翻羽,可以跑得比飞鸟还快;一名奔霄,夜行万里;一名越影,可以追着太阳飞奔;一名逾辉,马毛的色彩灿烂无比,光芒四射;一名超光,一个马身十个影子;一名腾雾,驾着云雾而飞奔;一名挟翼,身上长有翅膀,像大鹏一样展翅翱翔。有的古书把"八骏"想象为八种毛色各异的马,分别有很好听的名字:赤骥、盗骊、白义、逾轮、山子、渠黄、骅骝、绿耳。其实,骏马的神奇传说都是在形容贤良的人才,周穆王的"八骏"其实比喻他的人才集团,每位集团成员都才华卓越,本领非凡,各自用特殊的能力在共同辅助周天子。

更清楚无误地以马喻示人才的事迹,是著名的"千金买骨"的典故。战国时期,各国的君王竞相争夺招揽人才,以求邦国的稳固长久。燕昭王也不例外,准备以谦恭虚心的姿态和优厚的报酬来招聘优秀人才。燕国有个叫郭隗的臣子,就向昭王讲了一则关于千里马的寓言:从前有个君王想花千金求一匹千里马,三年过去了,一直未能如愿。有人便主动请战,表示可以弄到千里良马。国君派他去,三个月内就找到千里马的下落,但是马已经死了。这人拿出五百金买下了马的骨头,回来交差。国君生气地说:"我要的是活马,你怎么花五百金的价钱去买回一堆枯骨?"此人答道:"是啊,今天我替大王花五百金买下千里马的骨头,那一匹活生生的千里马就不知多昂贵了。天下人由此知道大王这样看重千里马,还愁别的千里马不纷纷而来吗?"

郭隗讲到这里,话题猛然一转:今天,大王要是真心求贤招才,那就先重用我郭隗吧。连我这样不怎么杰出的人才都受到了重视,那些比我强的真正贤才呢?

这则出自《战国策》的故事,向我们展示了求贤若渴的道理。正因为马象征着人才,所以善相马的人又被喻为善识才、善举才者,如战国时期赵国的王良,秦国的伯乐、九方皋等都是相马的专家。由于人才的埋没或缺乏,表现出的沉闷局面就被叫作"万马齐喑"。清朝著名文学家龚自珍有一首诗就说:"九州生气恃风雷,万马齐喑究可哀。我劝天公重抖擞,不拘一格降人才。"

每逢农历的庚午、壬午、甲午、丙午、戊午年,都是马年。

马年春联

| 人欢马叫 | 竹梅品格 |
| 鸟语花香 | 龙马精神 |

| 人欢马叫 | 红旗映日 |
| 春和景明 | 金马迎春 |

人添壮志	金龙舞瑞
马跃新途	骏马腾祥
（李　渡）	（贾　岳）

千帆竞进	骅骝开道
万马齐奔	骐骥行空
（郭保中）	（李路红）

| 百花齐放 | 蛇回得意 |
| 万马奔腾 | 马到成功 |

彩云追月　　　　　　三春播喜气
骏马迎春　　　　　　万马荡雄风

闻鸡起舞　　　　　　大骥驰千里
跃马争春　　　　　　小龙舞九州

旗开得胜　　　　　　万马争飞跃
马到成功　　　　　　百花展笑颜

一堂开淑景　　　　　万马奔腾日
万马跃新春　　　　　九州幸福春
　　　　（梁乃轼）

人饮新春酒　　　　　万马奔腾日
马来得胜关　　　　　千门幸福春

三阳开泰运　　　　　小龙飞九域
一马领先行　　　　　骏马跃千山
　　　　（洪　荒）

三春开盛纪　　　　　小龙随岁去
万马闯雄关　　　　　骏马带春来

三春迎盛纪　　　　　马驰春色里
万马闯雄关　　　　　人在画图中

三春盈淑气　　　　　马驰原野阔
万马荡雄风　　　　　春暖柳烟浓

马驰强国路
蛇舞改革潮
　　（白贵生　万　贵）

马步腾云起
春风带福来
　　　　（陈月桥）

马到成功日
旗开得胜年

马奏迎春曲
莺鸣入世歌
　　　　（韩修龙）

马跃阳关道
春回杨柳枝

马跃康庄道
人迎幸福春

马啸关山月
莺歌杨柳春

马腾风雪舞
春到杏花红

马腾改革路
国展富强图

马嘶千里志
年稔万家欢
　　（白启才）

马踏春锦绣
莺歌世风流

丰年飞瑞雪
骏马跃长征

天高鹏展翼
路远马扬蹄

云霞出海曙
骏马跃关山

风度竹流韵
马驰春作声

龙人跨骏马
华夏庆丰年
　　（白启才）

龙开新世纪
马跃好前程

龙腾辉玉宇
马跃固金瓯
　　（陈国旺）

乐驰千里马　　　　　花开天下福
更上一层楼　　　　　马跃人间春

白鹅游暖岸　　　　　花开天下瑞
金马啸长风　　　　　马跃世间春

　　　　　　　　　　　　　　（郭保中）

冬随蛇舞去　　　　　花香招鸟语
春伴马蹄来　　　　　马跃起龙图

立马千山矮　　　　　花绽九州艳
迎春万木荣　　　　　马奔四海春

　　　　　　　　　　　　　　（李仕修）

立马昆仑小　　　　　花绽春光谱
腾龙世纪新　　　　　马驰中国风

百花开锦绣　　　　　迎春燕语巧
万马起云烟　　　　　踏雪马蹄香

同迎千里马　　　　　灵蛇辞旧岁
共唱九州春　　　　　骏马贺新春

　　　　　　　　　　　　　　（黄庆易）

扬鞭催骏马　　　　　凯歌辞旧岁
把酒会春风　　　　　骏马贺新春

壮士喜神马　　　　　欣描八骏马
鲜花佩英雄　　　　　喜贺九州春

金蛇留胜景 闻鸡先起舞
骏马跃长春 跃马共迎春
　　　（丁书成）

金蛇腾腊去 闻鸡思奋发
骏马舞春归 跃马抖精神
　　　（郭保中）

金蟒穿云去 神州乘骏马
紫骝踏雪来 大地展新容

春色绿千里 神鞭催骏马
马蹄香万家 祖国壮金瓯

春来山水秀 乘风腾骏马
马跃路途宽 兴国舞神龙

春拂芬芳地 海阔凭鱼跃
马奔锦绣程 路遥任马驰

春新门载福 骏马生双翼
志远马扬蹄 鸿图壮九州

柳营晨试马 骏马驰千里
虎帐夜谈兵 云鹏遨九霄
　　　　　　　（梁乃斌）

柳绿春江月 骏马骋千里
旗红骏马图 春风暖万家
　　　　　　　（贾　岳）

黄莺传捷报
赤兔踏春光

蛰蛇辞旧岁
跃马迓新春
（邹宗德）

雪中飞赤兔
月下赶黄骠

腊鼓催青骏
春风策紫骝

蛇年圆夙愿
马岁赴新程
（晓　虎）

新年新起点
马岁马兼程
（彭善民）

蛇创辉煌业
马驰锦绣程

新春奔骏马
入世展飞鹏
（朱　俊）

蛇步辉煌业
马驰锦绣程

群星瞻北斗
万马啸东风

蛇迎新世纪
马跃好前程

蹄花沾晓露
柳浪饰春风
（唐锦庄）

蛇舞长城雪
马嘶北国风

燕莺新气象
龙马壮精神

银蛇留景胜
金马奋蹄香

鲲鹏飞玉宇
骐骥跃神州
（田志金）

得失塞翁马
辛劳孺子牛

大地生香吐艳
神州跃马争春

飞雪莹莹凝瑞
马蹄阵阵报春

留下银蛇胜景
迎来骏马长春
　　　　（白贵生　万　贵）

天马横空出世
腊梅傲雪迎春

骏马秋风蓟北
杏花春雨江南

日丽风和景美
人欢马叫春新
　　　　（柏明东）

雪片纷纷凝瑞
马蹄得得报春

百卉生香吐艳
千行跃马争春
　　　　（郭保中）

雪瑞年丰福满
人欢马叫春浓

百花生香吐艳
四海跃马争春

盛世人勤春早
新年马到成功
　　　　（黄树嵩）

尚存金蛇灵气
重振龙马精神

蛇岁四时如意
马年万事称心
　　　　（寿新元）

春到红鬃马上
喜临绿柳门前

蛇舞长城瑞雪
马嘶塞上和风
　　　　（郭保中）

春到江南塞北
马腾正气清风

景美年丰国瑞
春新马叫人欢
　　　　（管　卫）

留下小龙胜景
迎来骏马新春

一天彩霞迎旭日
九州骏马带朝烟

一代英豪图伟业　　　　　　八音喜奏金蛇舞
九州骏马踏雄风　　　　　　万众高歌骏马奔

一年吉庆畅春意　　　　　　八骏奔驰争入画
四海凯歌催马蹄　　　　　　万骐腾跃竞迎春
　　　　　　　　　　　　　　　　　　（王占裕）

一任马蹄敲战鼓　　　　　　人欢马叫千山秀
几番旷野卷高尘　　　　　　日暖花香万里春
　　　　　　　　　　　　　　　　　　（宋其祥）

一轮赤日照金马　　　　　　人欢马叫千秋景
万里春风度玉门　　　　　　鸟语花香四海春
　　　　　　　（寇继富）　　　　　　（李瑞香）

一路马蹄花引蝶　　　　　　人欢马叫丰收岁
万家春色柳闻莺　　　　　　燕舞莺歌锦绣春

一路风尘蹄花碎　　　　　　人欢马叫丰收岁
万家瑞气富根深　　　　　　狮舞龙腾改革潮

一夜春风来小院　　　　　　人欢马叫升平世
千家骏马闯雄关　　　　　　燕语莺歌锦绣春

十分春色辉天地　　　　　　人欢马叫升平世
万马蹄花入画图　　　　　　燕舞莺歌富裕春

十里早莺鸣暖树　　　　　　人得春风牛得草
万家骏马越雄关　　　　　　国扬威力马扬蹄
　　　　　　　（张泽华）

人强马壮康乐日
囤满仓盈富裕年

九天日暖张鹏翼
四野春新逐马蹄

九天日暖张鹏翼
四野风轻快马蹄

九州春丽山河灿
万马蹄飞日月辉
　　　　　（郭保中）

九州春暖民生福
万马蹄飞国运昌

九州崛起千家富
万马奔腾百业兴
　　　　　（郑应杰）

三春芳讯传莺口
万里东风逐马蹄

大业正乘千里马
小康更上一层楼

大地春回驰骏马
中天日丽走龙蛇
　　　　　（周文彦）

大地盘蛇擂战鼓
神州纵马跨征程
　　　　　（李洪德）

大道扬鞭驰骏马
高天阔地展雄才

大鹏欢喜天空阔
骏马何愁道路长

大鹏展翅青云路
骏马奔驰浩荡春

万马千军创大业
五湖四海涌春潮

万马争春春永驻
全民致富富长存
　　　　　（唐金标）

万马奔腾开胜局
百花齐放闹芳春
　　　　　（唐锦庄）

万马奔腾五彩路
百花齐放四时春

万马奔腾迎百福
群莺劲唱集千祥
　　　　　（黄祖光）

万马奔腾春意闹
千家幸福画图新

万树巧莺歌丽日
八方骏马舞征途
（郭保中）

万马奔腾铺锦绣
千帆奋进创辉煌
（李贵友）

万树娇花争早放
千家骏马竞先腾
（郭保中）

万马奔腾新气象
三春驰荡好风光
（白启才）

万点腊梅蛇伴舞
千声喜炮马迎春
（黄庆易）

万马奔腾新岁景
百花开放古国春
（马龙图）

万缕彩霞迎旭日
千匹骏马带朝烟

万马奋蹄新世纪
百花吐瑞艳阳春
（王西康）

山舞银蛇生紫气
原驰金马放祥光
（韩崇文）

万民策马康庄道
百族放歌锦绣春
（梁和平）

山舞银蛇诗意里
春驰骏马画图中
（李瑞香）

万里征途千里马
十年树木百年人

山舞银蛇梅吐艳
原驰骏马草含春

万里康庄蛇伴舞
百花锦绣马迎春

千帆竞发与时进
万马奔腾领未来
（胡之锦）

万里清风舒画卷
一鞭神骏奋前程

千帆竞渡千重浪
万马急奔万里春
（张　梧）

千帆竞渡风流景
万马齐奔世纪风
　　　　（王化东）

千里江山春气象
一年锦绣马风光

千秋伟业奔骁马
万里神州送小龙
　　　　（柏明东）

千秋事业神龙舞
一代风流骏马驰

千树春花争早放
万家骏马竞飞奔

千树流莺歌盛世
八方骏马赴鹏程
　　　　（祖袭尧）

千畴竞秀丰收景
万马奔腾改革图

门前春色迎人笑
路上蹄花映眼新

门前春色迎年秀
马前征途映眼新

飞驰骏马鞭高举
欢庆新年酒满斝

小龙大展鹏飞志
骏马方乘改革风

小龙告捷开胜局
金马迎春跃新程
　　　　（唐锦庄）

小龙高奏凯旋曲
骏马长嘶奋进歌
　　　　（王达民）

小龙游罢清平世
骏马腾欢大有年

巳蛇归洞民安泰
午马迎春国富强

马上征途酬远志
蛇归洞府写新篇

马上新阶荣万里
年逢盛世富千家

马不停蹄传捷报
人行阔步闯雄关

马叫人欢奔旭日
风驰电掣奋征程

马奔沃野迎新岁
蛇隐深山辞旧年

马叫人欢春意暖
风和日丽岁时新

马逢伯乐驰千里
鹏过高天展万程

（黄洪余）

马号催蹄争跃马
春声绕耳喜迎春

马跃九州迎百福
春临四海汇千祥

（汪着陆）

（熊尚鸿）

马年跃马登云路
新纪创新入画图

马跃三春奔富路
莺歌万树报佳音

（唐金标）

马驰大路春如锦
鹰击长空气若虹

马跃征程扬特色
人行善事壮新风

（祖振扣）

马驰马奔春色里
人歌人乐画图中

马跃神州奔万里
梅馨岁月报三春

（李仕修）

马驰西部开新宇
蛇舞东风迎曙光

马跃新程开富路
蛇巡大地报丰年

（王定清）

（钟国佑）

马步青云迎旭日
羊腾绿野展雄风

马蹄声碎开新路
春酒味浓贺大年

马奔大道风生响
春到农家雪吐香

马蹄得意奔新路
鹊语遂心报好音

马蹄捷报映晓日
燕语莺歌迎新年

马舞征途添锦绣
春腾华夏更妖娆
　　　　　（郭保中）

开放同乘千里马
腾飞共揽九天星
　　　　　（余培发）

天马行空迎盛会
金蛇入世报丰年
　　　　　（陈恩厚）

天马行空迎盛纪
黄莺戏柳报新春

天马奔驰开胜局
英才迭出献良酬
　　　　　（樊　锋）

天高碧宇随鹏举
路远清风任马驰

无边春色百花艳
有庆年头万马驰

无须添足蛇归洞
不待扬鞭马奋蹄

车水马龙一路景
花香鸟语万家春

车水马龙农家乐
花香鸟语大地春

日出江花红胜火
马腾禹甸国呈祥
　　　　　（文启煌）

牛年不做吹牛者
马岁岂当拍马人
　　　　　（童双清）

午岁争迎千里马
新春更上一层楼

化日舒长莺语巧
春风得意马蹄矫

化雨携来龙露贵
踏花归去马蹄香

风尘一路马蹄碎
爆竹千家春意浓

风光秀丽随春展
道路逶迤任马驰

文明社会春风意
龙马精神海鸥姿

文明盛世飞春色
锦绣前程亮马蹄

文章须纳风云气
翰墨应催骏马图

水如碧玉山如黛
人奋雄心马奋蹄

玉蛇起舞山河秀
金马腾空日月新
（姜富武）

古柳荫中来走马
好花深处有鸣禽

世上岂无千里马
人中难得九方皋

世纪春风吹绿野
中华神马啸新程

龙人昂首小康路
骏马扬蹄新纪程
（秦三木）

龙马精神壮四海
风云气象会三春

龙马精神驰大道
鲲鹏志向搏高天

龙伴腊归留胜迹
骥随春到展宏图

龙搏江洋方告捷
马驰关隘又拿云
（宣信恕）

龙腾盛世臻祥泰
马跃新春祝寿康
（张家安）

龙舞升平天溢彩
马驰盛世地流金
（庞文彪）

东风骏马阳关道
小院春晖幸福家

东方古国红旗舞
大路长征骏马驰

四海升平龙起舞
九州锦绣马迎春

四海五湖盈瑞霭　　　百花齐放春光好
千军万马御春风　　　万马奔腾气象新
　　　（杨琦玲）

白马壮心奔大道　　　百花齐放春光好
青春浩气献中华　　　万马奔腾国步雄

冬去蛇留诗意里　　　百花竞放迎新岁
春来马入画图中　　　万马奔腾跃小康
　　　　　　　　　　　（曹海通）

冬去蛇留诗意美　　　有志宝驹奔大道
春来马跃画图新　　　无边春色驻神州

冬至千蛇归洞隐　　　扬鞭策马开新纪
春来万马奋征程　　　立志兴邦展壮猷
　　　（谢子言）

老马犹存千里志　　　回首小龙辞旧岁
英雄不畏万重难　　　奋蹄骏马贺新年
　　　（张元印）

老骥犹怀千里志　　　回眸痛饮庆功酒
红梅又报九州春　　　放眼豪吟跃马诗
　　　（冷阳春）　　　　　　（宣信恕）

百业喜乘千里马　　　岁去松梅清品格
九州高举五星旗　　　春来龙马壮精神
　　　（葛便南）　　　　　（李　渡）

百花开放神州秀　　　岁暮蛇归春早到
万马奔腾伟业新　　　财丰马跃福先来

吐蕊蜕皮归沼泽
奋蹄踏雪跃关山

庆佳节九州同乐
贺新春万马奔腾

伟业千秋人奋志
征途万里马嘶风

庆盛世雄狮起舞
展宏图快马加鞭

伏枥犹存千里志
添翼更上九重天

齐策战马迎新岁
满斟美酒贺丰年

伏枥犹怀千里志
识途又拓一方天

壮志凌云振鹏翼
扬鞭催马奔征程

（凌一二）

伏枥犹怀千里志
奋蹄敢闯万重关

兴大业旗开得胜
迎新春马到成功

（成兆丰）

华年捷报灵蛇舞
盛世春迎骏马来

兴云布雨迎春早
跃马扬鞭接福多

（李照慧） （周文彦）

似笔银蛇描路就
如风烈马驾车来

江涛气势风雷动
龙马精神世纪兴

（崔兴辉）

向阳花木三春秀
得意马蹄一路风

好雨知时群卉盛
春风得意四蹄轻

色借梅花香借雪
壮观骏马美观春

好借春风酬壮志
快催骏马跃前程

红旗招展九州画
骏马奔腾万里春

红旗指引强邦路
骏马驰骋富国途

红旗辉映神州地
骏马喜迎大治年

红霞瑰丽铺云路
骏马奔腾荡柳烟

老骥常存千里志
夕阳惯照万重山

花木向阳春不老
骅骝开道景无边

花放四时呈秀色
马驰千里报佳音

花柳新春莺燕舞
风云盛世骏骐驰

丽日春风迎马跃
红桃绿柳贺龙腾

　　　　（吴玉海）

时代强音催快马
中华特色壮金瓯

伯乐选贤识骏骥
英雄酬志效鲲鹏

伯乐明眸识好马
良才妙手展宏图

迎春马跃前程远
入世关开富路宽

　　　　（关自创）

迎春策马声威壮
破浪扬帆气势雄

快马加鞭争朝夕
壮志凌云写春秋

宏图锦绣众人绘
大道逶迤万马驰

识途好马驰千里
入世春风荡九州

　　　　（黄汉如）

灵蛇报喜豪情盛
骏马争春壮志雄

　　　　（杜正尧）

灵蛇昂首高天丽
骏马奋蹄大地春
　　　　　（韩崇文）

灵蛇奏凯山川丽
骏马呈祥岁月新
　　　　　（祖振扣）

灵蛇春送华年去
骏马腾飞盛世来
　　　　　（张静一）

灵蛇匿迹飞青霭
天马行空驾白云

灵蛇翘首观春景
骏马奋蹄奔富年
　　　　　（管　卫）

灵蛇献瑞雪飞早
骏马迎春梅占先
　　　　　（曹　山）

改革新潮催骏马
振兴大业起鸿图

张灯结彩迎春节
跃马扬鞭步小康

劲蹄传喜阳光媚
神腿报春紫气辉
　　　　　（王定清）

青春壮丽辉天地
骐骥奔腾向未来

英才竞献兴邦策
骏马齐奔强国途

英雄气概凌天宇
骏马雄风荡柳烟

英雄骏马奔千里
浩荡春风暖万家

英雄魄力惊天地
龙马精神贯古今

奔彼岸千帆竞渡
越坦途万马扬鞭

奔腾骏马驰大道
浩荡春风遍神州

奋蹄千里开新运
昂首九州乐太平
　　　　　（杨　威）

昂首扬鬃腾浩气
奋蹄踏雪展春风

昂首嘶风先路导
驾轻就熟健蹄飞

欣逢盛世灵蛇舞
喜遇良机骏马腾
　　　（杨　金）

金马迎春行好运
红梅贺岁倡新风

金戈铁马奔大道
碧血丹心献中华

金蛇回首欢新宇
骏马扬蹄跃坦途
　　　（杜正尧）

金蛇狂舞九州景
骏马欢腾四海春

金蛇狂舞千钧力
天马疾驰万里程
　　　（赵义柏）

金蛇狂舞丰收岁
玉马喜迎幸福年
　　　（管　卫）

金蛇竞舞山河秀
玉马争驰岁月新

金蛇起舞颂功去
骏马奔腾报捷来

金蛇喜舞九州富
骏马欢腾四海春

金蛇辞岁沧溟去
玉马迎春霄汉来

金蛇献瑞神州盛
玉马腾空大业兴

春天点点芭蕉雨
马步声声杨柳风

春日寻芳骑骏马
国家思治用贤才

春风万里辞蛇岁
笑语千家入马年

春风化雨芭蕉翠
骏马登程杨柳青

春风化雨滋芳草
骏马征程步小康

春风送暖花千树
骏马扬蹄路万程

春光原自梅梢发
诗句竞于马背吟

春风笑逐福音至
天马喜随捷报飞

春回大地百花艳
日暖神州万马腾

春风浩荡马蹄疾
岁月峥嵘财路新

春江花月宜人景
龙马和风强国图

（刘之彬）

春风骏马开新纪
大业鸿图壮国威

春阳送暖芳菲地
骏马奔驰锦绣程

春风得意人得志
骏马扬蹄国扬威

春花吐艳香千里
快马加鞭跃九州

春风得意马蹄疾
晓日舒心鹏翼张

春来雪化千峰秀
马到功成万事兴

（林应禧）　　　　　　　　（赵　根）

春风得意马蹄疾
政策归心国运昌

春来报喜添新喜
马到成功立大功

（叶祖培）　　　　　　　　（孙学林）

春风碧水千鸥竞
旭日青山万马嘶

春返神州昌百业
马腾华夏富千乡

（王学程）

春归禹甸风光美
马纵山河气势雄

春返神州舒画卷
马腾盛世入诗篇

春情寄语千条柳
骏马加鞭万里程

春辉大地群龙舞
福满神州万马驰
　　　　（莫本声）

春随好运千祥集
马到成功万事兴
　　　　（叶志斌）

春寓枝头迎佳节
福在心里接马年

春寓枝头歌唤马
马驰大道喜迎春

春馥芳原堪跃马
蛰惊雪岭竞腾龙
　　　　（胡之锦）

政策归心人振奋
春风得意马腾飞

政策英明民放胆
神驹腾飞国扬威

南岭梅香迎岁至
东郊草浅试蹄轻

挺身愿作长征马
俯首甘为孺子牛

虽喜骅骝千里马
更珍伯乐九方皋
　　　　（梁采邦）

映日红霞浮白马
宜人春色到农家

秋风古道题诗瘦
落日平原似马豪

追风骏马奔千里
改革春风暖万家
　　　　（狄人毅）

闻鸡起舞南疆剑
跃马挥扬西部鞭
　　　　（陈立春）

美景前程欣骥足
高天浩宇快鹏心

举红旗旗开得胜
乘骏马马到成功

神龙时作苍生雨
饮马常思赤帝风

神州开辟康庄道　　　　　　　莺歌燕舞芳菲节
骏马奔腾锦绣春　　　　　　　马叫人欢艳阳春
　　　　　（王明生）

神州节庆金龙舞　　　　　　　莺歌燕舞芳菲节
盛世春迎骏马来　　　　　　　马叫人欢婀娜春
　　　　　（张玉复）

神州雪送银蛇去　　　　　　　乘龙拓展新经济
盛世春迎骏马来　　　　　　　跃马登临大舞台
　　　　　（金永波）　　　　　　　　　　（李敬忠）

神驹轻踏春前草　　　　　　　秣马厉兵操胜券
小燕喜穿柳上风　　　　　　　强邦兴国献良谋

神笔马良画彩骏　　　　　　　高天雪舞蛇蛰去
慧眸伯乐选名驹　　　　　　　大地花开马骋来
　　　　　　　　　　　　　　　　　　　（张中靖）

起舞金蛇歌盛世　　　　　　　高天雪舞银蛇去
奔驰骏马乐升平　　　　　　　大地春归骏马来
　　　　　（蔡友杰）

莺歌杨柳枝枝秀　　　　　　　凌空天马东风起
马跃前程步步高　　　　　　　翔宇潜龙春雨来
　　　　　　　　　　　　　　　　　　　（余秋阳）

莺歌柳浪千家笑　　　　　　　海阔天空驰骏马
马踏春风一路花　　　　　　　时和景泰跃神龙
　　　　　　　　　　　　　　　　　　　（李照慧）

莺歌燕舞三春景　　　　　　　骏马东风抒壮志
马叫人欢四海图　　　　　　　新春丽日展宏图
　　　　　（张家隆）

骏马扬蹄奔富路
春风得意展鹏程
（黄太茂）

骏马扬蹄奔富路
大鹏展翅舞长空

骏马扬蹄奔富裕
雄鹰展翅庆和谐

骏马扬鬃传入世
龙人申奥庆成功
（马　也）

骏马迎春临大地
新莺送福到人家
（黄祖光）

骏马奔腾千里路
新春更上一层楼

骏马奔腾春色丽
艳阳照耀岁华新

骏马奋蹄千里路
大鹏舒翼九重天

骏马奋蹄开泰运
雄鹰展翅拓新天
（李贵友）

骏马奋蹄迎旭日
金龙昂首舞春风
（李　康）

骏马腾飞兴骏业
新年喜庆立新风
（潘玉盘）

勒马开怀颂改革
迎春祝酒庆丰年

梅花欢喜漫天雪
骏马奔驰一路春

梭织世贸梭穿锦
马步新春马奋蹄
（石春荣）

雪消日暖春光动
马到功成捷报飞
（唐锦庄）

跃马日行九万里
腾龙历展二千年

跃马扬鞭抒壮志
耕云播雨夺丰收

跃马扬鞭腾盛世
乘风破浪展雄姿
（胡承文）

跃马争春人奋起　　　　　蛇年政善民心顺
扬鞭开路志高昂　　　　　马岁官清国运昌
　　　　　（平立滨）　　　　　　　（曹海通）

跃马争雄兴百业　　　　　蛇年喜讯频频报
迎春致富乐千家　　　　　马岁春潮滚滚来
　　　　　（宣信恕）　　　　　　　（王明生）

跃马乘风奔大道　　　　　蛇辞禹甸三春丽
腾龙出海振神州　　　　　马跃神州百业兴

跃马催春梅早放　　　　　蛇舞千山千岭秀
醒狮贺岁柳先舒　　　　　马驰九域九州妍
　　　　　（杨琦玲）　　　　　　　（万义祯）

蛇开胜局新元始　　　　　蛇舞吉年盈紫气
马到成功大富来　　　　　马趋坦道启新猷
　　　　　（叶荫郊）　　　　　　　（叶荫郊）

蛇开新纪千秋业　　　　　蛇舞春风留硕果
马跃长征万里途　　　　　马腾瑞气兆丰年
　　　　　（叶祖培）　　　　　　　（王　轩）

蛇仗祥云回玉宇　　　　　银蛇飞舞乾坤大
马携瑞雪到人间　　　　　骏马奔腾世纪新
　　　　　（张向东）　　　　　　　（金学华）

蛇岁丰功添国力　　　　　银蛇起舞山川秀
马年鸿运壮民魂　　　　　骏马奋蹄天地宽
　　　　　（张玉复）　　　　　　　（王化东）

蛇年才奏腾飞曲　　　　　银蛇起舞风神邈
马岁又掀改革潮　　　　　骏马腾欢岁序新
　　　　　（杨琦玲）　　　　　　　（刘　枫）

银蛇带去峥嵘岁
骏马迎来锦绣春

喜共小龙开玉局
欣催骏马启新程
（平立滨）

银蛇喜送峥嵘岁
骏马欣迎锦绣春

喜庆征程驰骏马
欣逢入世获良机
（梁采邦）

银蛇蛰伏藏瑰宝
骏马腾飞起宏图

喜得小龙开玉局
欣催骏马迈新程

银蛇摆尾乾坤秀
骏马奋蹄天地宽

雄心驯服腾云马
壮志敢擒出海龙

得意春风催骏马
及时惠雨润鲜花

雄关似铁千骑越
捷报如云万里飘

鸿雁翔云迎旭日
青骊夺路起桃烟

雄狮竞舞中华志
骏马奔腾民族风

绿水青山迎宝马
红梅白雪送灵蛇

紫气东来春得意
青云直上马扬蹄

绿野苍茫驰骏马
蓝天浩瀚搏雄鹰

策马迎春抒壮志
弄潮闯海展宏图
（天涯石）

骑马挎枪迎曙色
携春带福送人间

策马争春抒壮志
降龙闹海展雄才

策马前驱奔富裕
闻鸡起舞超群英

腊去风清蛇步远
春来日暖马蹄欢
（黄洪余）

腊去蛇藏酬夙愿
春回马到立新功
（麦明超）

寒梅映雪银蛇舞
盛世迎春骏马奔

瑞日神州鹏翼劲
春风盛世马蹄轻
（樊泽民）

瑞霭盈门春在户
红旗引路马扬蹄

蓝图全靠能人绘
骏马还凭伯乐挑

频传捷报灵蛇去
更展雄姿骏马来
（李景新）

频传捷报辞蛇岁
高唱凯歌贺马年
（韩崇文）

辞年喜饮三蛇酒
贺岁争描八骏图

腾飞骏马奔千里
开放春风暖万家
（郭保中）

腾海蛟龙频击浪
识途老马自扬蹄

鹏举长空九万里
马驰盛纪二千年

新元岁启灵蛇往
盛世春迎骏马来
（杨志忠）

新纪降龙人胆壮
锦程伏虎马蹄香
（王学程）

新岁更腾千里马
壮心高展九霄鹏

新岁新春新景象
好人好马好前程

新春帖留吉祥草
骏马图挂墨韵斋

新骏扬鞭奔大道
亲朋酌酒贺丰年

爆竹声声催快马
梅花朵朵笑春风

福托新莺传雅韵
春催快马越雄关

一夜报春百花齐放
三阳开道万马奔腾

（贺宗仪）

福到门庭梅吐艳
马驰道路柳生烟

一统江山群龙舞彩
千秋功业万马奔腾

福到家门梅吐艳
马驰大道柳生烟

大海方平千帆竞发
征途正远万马奔腾

群龙起舞升平世
万马奔腾发展观

山舞银蛇春光烂漫
原驰骏马节日欢腾

豪情振笔歌新岁
骏马加鞭奔坦途

千秋大业千人共唱
万里锦程万马奔腾

（周长生）

旗展五星四海笑
马奔万里九州春

马跃人欢九州国治
鱼肥秧壮四海春浓

蹄花千里沾晨露
柳浪万重叠夕阳

马蹄踏碎一穷二白
燕子衔来万紫千红

鹰击长空抒远志
马驰碧野卷雄风

月圆花好鸟飞鱼跃
雨顺风调马壮人欢

鸟语花香满园春色
人欢马叫一路凯歌

振翅大鹏志抟万里
识途老马力挽千钧
（刘云亭）

同心同德宏图再展
群策群力快马加鞭

骏马锦程吉祥伴我
红梅瑞雪春意盈门
（李建军）

庆盛世雄狮轻起舞
展宏图快马猛加鞭

骏马腾骧雄风万里
大鹏搏击壮志九霄
（柴　逸）

好雨知时百花齐放
春风得意万马奔腾

骏马嘶风九州辞旧
杏花沐雨四海迎新

时雨随心瞒人润物
春风得意跃马扬鞭
（马庆友）

跃马迎春春风扑面
抬头见喜喜气盈门

快马加鞭振兴祖国
闻鸡起舞建设家园

绿水青山九州生色
金戈铁马四海扬威

明媚春光百花竞放
昌隆国运万马奔腾

喜盈门天乐人亦乐
春及第马驰志也驰

金戈铁马扬眉吐气
火树银花浴雪迎春

锦绣山河春和世泰
峥嵘岁月马叫人欢

春风得意马驰千里
旭日扬辉光照万家

十亿神州共驰千里马
九州建设更上一层楼

人欢马跃开创新局面　　赤帜舞东风江山如画
燕舞莺歌喜庆大有年　　骅骝奔大路祖国长春

工农携手同乘千里马　　快马舞东风春盈四海
干群并肩共上一层楼　　梅花香大地喜满九州

大地涌春潮百家安逸　　灵蛇献瑞河山争俏丽
和风苏陌野一马当先　　骏马迎春桃李竞芳菲
　　　　　　（吴岱宝）　　　　　　（邓献仁）
马壮牛肥山村添喜气　　奇迹不奇英雄能创造
地灵人杰门户沐春风　　远征非远良马自奋蹄

马跃雄关常怀千里志　　依法绳之贪官多落马
龙腾世贸更上一层天　　凭德治也盛世少亡羊
　　　　　　（祝大光）　　　　　　（贺宗仪）
五谷丰登银蛇载誉去　　鱼跃鸢飞光景随时好
百花争艳金马踏春来　　人欢马叫春潮逐浪高

鸟语花香九州春光好　　春风吹玉宇千山竞秀
人欢马叫四季画图新　　骏马驰神州百业争雄
　　　　　　　　　　　　　　　　（粟　坚）
百尺竿头重乘千里马　　骏马展雄风奋蹄万里
万家群众更上一层楼　　大鹏乘瑞气振翼九天
　　　　　　　　　　　　　　　　（丁玉群）
百花争艳祖国春光好　　喜四海天空莺歌燕舞
万马奔腾改革事业兴　　看九州大地马叫人欢

新貌新风喜迎新世纪　　　　　八骏飞驰云蒸霞蔚风拂日
好鞍好马驰骋好前程　　　　　百花绽放燕舞莺歌柳含烟
　　　　　　　　　　　　　　　　　　　　（李文君）

万马奔腾为江山添锦绣　　　　大地回春锦绣河山添异彩
宏图再展与日月竞光辉　　　　征途跃马英雄儿女着先鞭

才过小龙年又催千里马　　　　万马迎春春风得意马蹄疾
曾经大风浪更上一层楼　　　　一心报国国运昌隆心意欢
　　　　　　　　　　　　　　　　　　　　（曹中庆）

步新潮须骑骏马驰千里　　　　千帆竞发几经风雨几经浪
兴伟业应唤春风惠万家　　　　万马奔腾一路凯歌一路春

老马识途认准金光大道　　　　马跃高山新纪潮头龙滚滚
新驹起步飞奔锦绣前程　　　　龙巡大地长征路上马嘶嘶
　　　　　　（萧菊清）　　　　　　　　　（吴绍焕）

听遍地豪歌征人添虎劲　　　　小龙辞岁好凭妙手书鹏赋
看漫天彩霞战马长精神　　　　骏马迎春当显雄才唱大风

鸿图大展成就行行伟业　　　　日丽风和竞棹归舟添异彩
骏马奔腾飞越道道雄关　　　　山明水秀挥鞭跃马展雄姿
　　　　　　　　　　　　　　　　　　　　（陈国旺）

春日融融万树繁花竞放　　　　气贯长虹九州奋进催飞马
红旗猎猎千骑骏马争先　　　　志凌霄汉十亿英雄唱战歌

爆竹迎春春丽五湖四海　　　　壬年选马马逢伯乐驰千里
红梅报喜喜催万马千军　　　　午夜敲诗诗遇知音走万家
　　　　　　　　　　　　　　　　　　　　（胡润连）

凤舞龙腾腾龙兴国创新业
人欢马跃跃马扬鞭赴前程

为国争辉万马齐奔改革路
给民造福千帆竞发富春江

斗雪傲霜一花怒放百花首
识途领首头马奔腾万马先
（胡绪栋）

玉宇澄清花香鸟语升平世
金瓯永固马叫人欢幸福春

玉树琼枝银蛇装点神州美
月圆花好金马驮来岁月新
（王化东）

旧岁蛰蛇蛇舞青山山愈秀
新春跃马马奔大路路更宽

老马识途奋驾长车奔富路
银蛇献岁昭苏万物舞东风

花红柳绿河山壮丽门庭秀
民富国强龙马奔腾世纪新

丽日蓝天万树繁花争早放
阳关大道千骑骏马着先鞭

快马加鞭协力同心跟党走
葵花吐蕊栉风沐雨向阳开

改革开放神州巨变真无比
奋发图强骏马奔腾大有为

雨润三春披红戴绿千山舞
旗飘九域跃马扬鞭万众忙

金戈铁马三军猛士戍边邑
伟业殊勋一代精英振国威

金蛇狂舞乐曲欢腾歌胜利
骏马飞奔前程广阔向光明
（熊尚鸿）

春日融融蛇舞东风传捷报
晴空湛湛马嘶中土壮鹏程
（祖振扣）

春满神州庆复关龙飞凤舞
喜盈盛世办奥运马叫人欢
（于贵斌）

柳拂春风马蹄得意奔新路
云蒸丽日喜鹊登枝报福音

结伴田园事农桑任劳任怨
奔驰疆场争胜利披甲披鞍
（张杰安）

展宏图九州英才扬鞭跃马
创伟业四海豪杰破浪飞舟

展智施能雄心共创千秋业
扬鞭跃马矢志同奔万里程

骏马迎春趁势乘时开国步
神龙化雨凌云捧日振邦威
（陈联章）

继往开来蹄声似鼓惊天地
兴邦强国志气如虹展画图

跃马扬鞭四化征途奔万马
扬帆激浪一江春水涌千帆

蛇飞取胜除暴安良政局稳
马到成功兴益除弊国力强

银蛇归去盛赞人间春色美
金马奔来争夸祖国气象新

策马争春马跃马年加马力
驾龙追日龙腾龙国振龙威

腾龙献瑞瑞雪纷纷飘瑞气
跃马争春春雷阵阵唤春光
（丁玉群）

爆竹一声喜送银蛇留伟绩
华灯万盏欣迎金马展壮猷

九霄鹏鹏举九霄九霄飞捷报
千里马马奔千里千里荡春风

万马长奔腾总有雄风惊四海
九州正崛起岂无伟业立千秋
（梁和平）

万里蓝天莺歌燕舞春光无限
千村碧野马叫人欢淑景连绵

小龙舞九州龙伴腊归留胜迹
大骥驰千里骥随春到展宏图

旧年蛇献瑞功成更佑千家福
新岁马扬威任重犹奔万里程
（曹 山）

快马加鞭万里长征始于足下
争分夺秒四化宏图绘在今朝

看旧岁银蛇起舞群山增秀色
喜今朝骏马奔驰九野尽春晖
（于贵斌）

春风会马年一路凯歌迎盛世
紫气开晴宇满天捷报壮新猷

看旧岁银蛇起舞群山增秀色　　银蛇随腊去农业丰收欣在望
喜今朝骏马奔驰九州尽春晖　　金马送春来国民经济喜腾飞

神州呈瑞彩满天捷报迎旭日　　鲜卉挹春风骏马奔腾强国路
大地迎马年一路凯歌壮春风　　神州迎笑语雄狮起舞小康年

骏马早迎春一代英豪图改革　　振兴伟大中华道路驰骋千里马
黄莺初唱晓千里乐声唱丰收　　迎接崭新世纪人民团结一条心

岁序更新蛇归洞府畅述辉煌成就
春风初度马跃神州喜奔锦绣前程

竞舞龙蛇喜看九州开放天翻地覆
争跨骐骥欢呼卅载改革国富民殷

农村兴旺同庆丰收谷似金山棉似海
城市繁荣共迎新岁车如流水马如龙

未 羊

"羊"语趣话

自古以来,羊是人们最喜爱的家畜之一。因此,人们也常常借助于羊而形成不同的词语,这些词语丰富多彩,各异其趣。

损失小,收益大,常常用"亡羊得牛"来比喻,其实是因祸得福。这个典故出自《淮南子·说山训》:"亡羊而得牛,则莫不利失也;断指而免头,则莫不利为也。"

某一地方,官员多而百姓少,被形容为"十羊九牧",可以说是夸张而不失其真。

一个人学习或做事无恒心,没毅力,泛而不专,难以获得进步或成功,人们常说"多歧亡羊"。这个典故出自《列子·说符》:"杨子之邻人亡(丢失)羊,既率其党,又请杨子之竖追之。杨子曰:'嘻,亡一羊,何追者之众?'邻人曰:'多歧路。'既反(返),问:'获羊乎?'曰:'亡之矣。'曰:'奚亡之?'曰:'歧路之中又有歧焉。吾不知所之,所以反也。'……心都子曰:'大道以多歧亡羊,学者以多方丧生。'"原来是比喻情况复杂多变而迷失方向,误入歧途。

北宋大文学家欧阳修则用"羊胛熟"来形容时间的短促,他有诗说:"尔来不觉三十年,岁月才如熟羊胛。"据《新唐书·回鹘传下》载,瀚海以北,有个地方叫骨利干,昼长夜短。傍晚时分把羊胛放进锅里,刚熟,东方就已破晓了。这个地方大约靠近北极。

《水浒传》第九十九回有一段写花和尚的:"前面马灵正在飞行,却撞着一个胖大和尚,劈面抢来,把马灵一禅杖打翻,顺手牵羊,早把马灵擒住。"后来比喻乘便拿人家的东西,或者乘便行事,毫不费力叫作"顺手牵羊"。

丢失了羊,赶快修补羊圈,并不为迟,这就叫"亡羊补牢"。比喻在日常工作中出了差错,设法补救,免得再受损失。语出《战国策·楚策四》:"见兔而顾犬,未为晚也;亡羊而补牢,未为迟也。"

《后汉书·刘玄传》记载:"其所授官爵者,皆群小贾竖,或有膳夫庖人,多著绣面衣、锦裤、襜褕(古代一种较长的单衣)、诸于(古代妇女穿的宽大上衣),骂詈道中。长安为之语曰:'灶下养,中郎将。烂羊胃,骑都尉。烂羊头,关内侯。'"本来是用"羊胃羊头"比喻猥贱的小人,后指污烂的官吏。

温顺、柔弱的羊一旦落入虎群,其后果可想而知了。所以,人们常把那种弱者落入强者手中或好人落入坏人手里叫作"羊入虎口"。

古人以为,羊也有狠的一面。《史记·项羽本纪》说:"因下令军中曰:'猛如虎,很(狠)如羊,贪如狼,强不可使者,皆斩之。'"后以"羊狠狼贪"比喻狠毒贪婪。

凝结的羊油脂给人一种非常柔润、细腻、白嫩的感觉,所以人们经常用"白如羊脂"来形容肤色的雪白柔嫩。

有些人在平时面目狰狞,颐指气使,威风凛凛,但一遇到危险,就害怕得立即俯首鞠躬。例如晚清政府,在国内百姓面前暴虐残酷,而对入侵的外国列强则俯首称臣,甘拜下风,以致使中国丧失了大片国土。所以后人常常称这种现象为"平时如狼,危时如羊"。

另外还有诸如"使羊将狼""问羊知马""牧羊读书"等。带"羊"字的词语在生活中屡屡被使用。

除此之外,还有一些嵌"羊"字的名词,如"山羊胡""羊水""羊脂玉""羊肚手巾"等。

羊为火畜,性好刚,所以天寒地冻时,人们皆喜食羊肉以御寒安性。羊被宰食,货少价高,偶有不法之徒为求取暴利,常悬羊头而售的却为狗肉,欺诈顾客,俗乃谓"挂羊头卖狗肉"。

羊最怕雨水,遇到下小雨即匆匆逃避,而居所如过分潮湿,常会患湿病而晕倒,所以养羊之所,必须以竹木为床棚离地尺余高,供其居住。因此,台湾人形容遇小事即焦急慌乱者为"着惊羊",而在中医学上以症见痉挛失神,口吐白沫,声如羊鸣之病叫"羊痫风"或"羊角风",学名叫作"癫痫"。

羊头像三叉,因此凡箭镞三棱者,皆称"羊头"。古时有一种独轮小车,一人挽之于前,一人推之于后,叫"羊头车"。羊角弯曲像旋风的样子,所以称旋风为"羊角",《庄子》中有"抟扶摇羊角而上者九万里"正是此意。羊角又是枣和枣树的别称,也是人的复姓。用羊毛制成的毛笔叫作"羊毫",柔润而富于弹性,是写书法和画中国画的最好用笔。羊肠子曲折窄小,所以又用"羊肠小径"或"羊肠鸟道"来比喻狭窄的道路和危险的环境。

人们还喜欢用"羊尾巴盖不住屁股"比喻没本领。用"羝羊触藩"形容进退两难。在神话传说中羊怕被虎吃掉,所以披上虎皮以欺瞒虎,以为同类,因此讽刺那些徒有外表的人为"羊质虎皮"。

西方的基督教以羊形容人性容易迷失,必须依靠信仰的力量感化,使迷途的羔羊回头是岸,所以耶稣自称为牧羊人。而在中国的历史上,称国难为"红羊劫"。宋朝理宗曾说:"丙午丁未者有一,其年皆值中国有浩劫战乱之年。"后人以丙、丁均属火,色红,未肖羊,故名"红羊劫"。

战国有左伯桃与羊角哀两个人相识,两个人一块到楚国求职,途中遇到大雪,他们两个穿的衣服非常单薄,带的粮食也不够吃了。左伯桃为了成全朋友,把衣服和粮食全部交给了羊角哀,自己则躲进空树中自杀。后世于是将最能知心而友谊深厚的朋友叫作"羊左"。

器物中有"玉羊",是"瑞器"。古书上说:"鲁哀公穿井,得一玉羊。"孔子曰:"水之精为玉,土之精为羊,此羊肝乃土耳。"玉羊又是月亮的别名。酒中有"羊羔美酒",是山西汾州的产品。中药中有"羊表",是产自山羊胃中形圆如弹的物质,大小不等,因羊吃百草而结成的,所以俗称"百草丹"。动植物中有"羊头鱼""羊肉孢子虫""羊蛤""羊蝇""羊齿石""羊驼""羊韭""羊宗""羊草""羊茅""羊麻""羊粟""羊奚""羊蹄""羊桃""羊秋""羊不食""羊婆奶""羊齿林""羊勃脐""羊石子""羊角子""羊角豆""羊角菜""羊角麦"等,不胜枚举。

每逢农历的辛未、癸未、乙未、丁未、己未年,都是羊年。

羊年春联

一羊献瑞
万象增辉
　　　　(童双清)

三阳开泰
九野竞春
　　　　(杨祝成)

三阳开泰
万卉争春
　　　　(程秉绶)

马开胜景
羊领新潮
　　　　(胡承文)

马传捷去　　　　　　　羊肥马壮
羊报春来　　　　　　　国富民丰
　　　（曹大举）

马驰万里　　　　　　　羊腾四海
羊恋千山　　　　　　　人盼三春

马驰雪地　　　　　　　灵羊献瑞
羊闹新春　　　　　　　绿草迎春
　　　（黄化章）

马驰碧野　　　　　　　金羊启泰
羊恋青山　　　　　　　彩凤鸣春

马留胜迹　　　　　　　三羊开泰日
羊续新章　　　　　　　万事亨通年
　　　（曾庆达）

天腾玉马　　　　　　　三羊开泰日
地舞银羊　　　　　　　万事亨通时
　　　（娄义钊）

五羊献瑞　　　　　　　三羊开泰运
九域增辉　　　　　　　双燕舞春风
　　　（陈金玉）

五羊携喜　　　　　　　三羊开泰景
万马归春　　　　　　　群燕舞春风
　　　（王建国）

羊迎大吉　　　　　　　三羊生瑞气
岁纳永康　　　　　　　百鸟唤春光

三阳开泰运
四季乐平安
　　　（管　卫）

三阳招瑞气
百鸟报春声
　　　（白月东）

万马腾空去
三羊开泰来

千羊开淑景
万马贺新春

马开金路去
羊报小康来

马去征途远
羊来岁景新

马去雄风在
羊归瑞气来

马去雄风在
羊归瑞气臻

马去雄风在
羊来福气生

马去雄风在
羊来紫气生
　　　（王建国）

马去雄风在
羊来伟业开
　　　（郭保中）

马去蹄声远
羊来唤语甜
　　　（彭国华）

马有知途德
羊存跪乳恩

马年飞大步
羊岁展宏图
　　　（张本应）

马驰金世界
羊唤玉乾坤
　　　（张连诗）

马尾拂白雪
羊头触红梅
　　　（郭保中）

马到平安福
羊来富贵春

马拓康庄道
羊铺锦绣云

马首开新纪
羊肠拓锦途

马蹄腾瑞雪
羊角触红梅

马载祥云去
羊携惠雨来

马嘶飞雪里
羊舞画图中

马留英雄气
羊会世纪风

飞马小康画
吉祥鸿福春

（赵　根）

马携祥云去
羊铺锦绣来

天高由马远
地利任羊肥

（赵　根）

马辟长安道
羊开大吉年

天涯芳草绿
华夏玉羊欢

马献丰年福
羊迎盛世春

五羊开玉局
万马闯雄关

（赵铸纪）

马踏红尘去
羊乘紫气来

五羊争献瑞
万马喜留春

（闻楚卿）

马蹄留胜迹
羊角搏青云

未时骄阳艳
羊岁淑景新

马蹄留胜迹
羊毫谱新歌

吉羊归大地
骏马跨新阶

羊年春似锦　　　　红梅赠马岁
福宅德为邻　　　　彩烛耀羊年

羊欢芳草地　　　　阳春堪叫好
人乐小康时　　　　面貌正图新
　　　　（胡承鸿）　　　　（杨方德）

羊鸣歌盛世　　　　志追伏枥马
雀跃庆新春　　　　心仪领头羊
　　　　　　　　　　　　（陈奎富）

羊临角更劲　　　　奋蹄须仗马
马去蹄犹香　　　　纳吉莫如羊
　　　　（陈奎富）　　　　（闻楚卿）

羊送财源到　　　　国呈新气象
春迎喜气来　　　　羊兆好年成
　　　　（白启才）　　　　（方国礼）

羊毫抒壮志　　　　鸣莺传燕信
燕梭织春风　　　　策马赴羊年

羊毫抒壮志　　　　宝马腾千里
燕梭织春光　　　　吉羊富万家
　　　　　　　　　　　　（刘丽坤）

羊毫书丽日　　　　春风扶骏马
燕语赞春光　　　　福气伴灵羊
　　　　（柏　东）　　　　（康宗惠）

羊毫书特色　　　　春风追丽日
燕翼绣春光　　　　羊角步青云

春风催快马 骏马争迎岁
新岁献灵羊 灵羊早报春
　　　（李桂清）　　　（王建国）

春讯梅呈瑞 骏马奔千里
羊年雪兆丰 吉羊进万家
　　　（姚章琪）

春来羊起舞 梅花臻五福
雪化马归山 春草壮三羊
　　　　　　　　　（王劲松）

春草连天绿 笙歌辞旧岁
羊群动地欢 羊酒贺新春

春新羊得草 腊鼓催神骏
世盛马加鞭 春风送吉羊

癸未开春景 辞年驰八骏
羔羊跃吉年 贺岁纳三羊
　　　（黄国富）　　　（闻楚卿）

骏马开新运 新年辞骏马
吉羊乐锦程 佳节贺灵羊
　　　（张子训）

骏马归山野 马去羊来岁寿
灵羊爱草原 月圆花好年丰
　　　　　　　　　（郭保中）

骏马行千里 马去抬头见喜
吉羊到万家 羊来举步生风

马岁时时如意
羊年事事吉祥
　　　　（郭保中）

马岁家家如意
羊年事事吉祥

马啸英雄浩气
羊鸣世纪春光

水秀山明草茂
羊肥马壮春荣

四海欢腾笑语
万家喜庆阳春
　　　　（郭保中）

白马乌金故地
玉羊绿野新郊

立志当怀虎胆
求知莫畏羊肠

骏马四蹄击鼓
羚羊双角开春

喜鹊登枝祝福
灵羊及地呈祥

一马当先奔大道
五羊随后庆丰年
　　　　（刘占一）

一片白云羊变幻
千条翠柳燕翻飞

八骏腾飞民富裕
五羊兴旺世升平
　　　　（平立滨）

八骏腾飞民富裕
三羊开泰国和谐

八骏嘶风传捷报
五羊跳跃展新图

人怀远志驰良马
世易新春唤吉羊

九州百族辞马岁
两岸三通接羊年

三羊开泰迎春色
万马奋蹄奔小康
　　　　（黄汉如）

万马争先开胜局
五羊献瑞启新程
　　　　（唐锦庄）

万马争春奔富路
三阳交泰照神州

万木争荣浮秀色
五羊献瑞有福音
（郭保中）

万里红霞披骏马
四时碧草恋娇羊
（李先鸿）

万树争荣添翠色
五羊献瑞报佳音

万象已随新律转
五羊争跃好春来

万象更新新世纪
五羊献瑞瑞门庭

才听骏马踏花去
又见金羊献瑞来

山乡春暖灵羊舞
海峡波平紫燕归

山青万里灵羊跃
柳绿九州紫燕飞

山清水秀阳春景
稻熟花香富裕图

广阔尧疆驰骏马
昌隆盛世降灵羊
（祖袭尧）

已经纵马须收辔
莫待亡羊再补牢
（肖玉苍）

已看神州张凤翼
再扶羊角展鹏程
（常振恒）

飞马已传千遍喜
灵羊又送万重福
（任德泉）

马去无心夸伟绩
羊来有胆夺丰年
（张家安）

马去羊来千里富
月圆花好万家安

马去羊来多倜傥
花明柳媚竞风流
（张长有）

马去羊来财不断
家和人健乐频增
（崔兴辉）

马去羊来春色里
莺歌燕舞画图中

马甲雄骑迎胜利
羊羹美酒庆丰收

马过千山声得得
羊临万户喜盈盈
　　　　（张　耐）

马岁有谋皆着意
羊年无事不称心
　　　　（张　耐）

马岁荣光辉日月
羊毫遒劲续春秋

马年已绘丰收景
羊岁继吟致富诗

马年事事如人意
羊岁时时洽暖风

马年事事如人意
羊岁时时报福音

马行万里传捷报
羊越千山奏凯歌

马驮硕果归山去
羊踏青坪报喜来

马驰大道征途远
羊上奇峰景色娇

马驰大道前程美
羊上奇峰景色新

马驰万里传捷报
羊越千山奏凯歌

马驰原野繁花茂
羊跃神州大业兴

马驰碧野凯歌壮
羊跃青山景色新

马走羊来财不断
年丰人健福常临

马步生风辞旧岁
羊毫洒墨写新联

马尾松针承雨露
羊毫妙笔点春光

马尾松青凝瑞雪
羊毫笔墨舞春风

马首是瞻新世纪
羊毫尽绘好春光

马尾拉琴歌富岁
羊毫着墨写新篇

马跃雄关奔万里
羊乘喜气到千家
（唐锦庄）

马尾飘然歌富岁
羊毫潇洒写新篇

马离禹甸留无憾
羊乐芳洲庆有余
（江深根） （白月东）

马到功成归枥去
羊和安定接春来

马携福字乾坤秀
羊唤春光日月新
（陈匡国）

马到成功民致富
羊来开泰国图强

马蹄声远辉煌业
羊步印深灿烂程
（陈据理）

马往羊来春色里
莺歌燕舞画图中

马蹄踊跃驰千里
羊角扶摇上九霄
（周森瑜）

马背吟诗抒壮志
羊毫濡墨写新章

五羊城中春光好
九州域内人面新
（王健和）

马背精神夺胜利
羊毫手笔续辉煌

五羊结彩迎新纪
六畜满园报好年
（凌一二）

马首关情吟妙句
羊毫随意绘新图

五羊衔穗年丰稔
双燕迎春岁吉祥

五羊献瑞人增寿
百鸟鸣春喜盈门

未艾方兴开锦绣
谢恩跪乳续和谐
（王　峰）

五羊献瑞增春色
百鸟争鸣唱福音

未岁广栽丰硕果
羊毫大写富强篇
（连　农）

不舍风驰追马迹
行看岁稔话羊年

世上尘埃随马尽
人间春色逐羊来

中天丽日飞红马
大地阳春驰白羊
（何士成）

世纪更新花吐艳
春风送暖瑞呈祥

长空载誉夸天马
大地回春颂吉羊

世纪春风萌绿草
山乡柳笛放群羊

双燕共迎欢乐至
五羊同送吉祥来
（萧菊清）

龙凤腾飞迎一统
马羊接力赛三春

玉羊启泰迎春至
金马奋蹄载誉归

龙种人开新局面
羊毫笔写大文章
（肖玉苍）

玉宇澄清观燕舞
草原茂盛喜羊欢

北岭春深宜牧马
南疆草浅待牵羊

玉树葱茏皆出色
金瓯稳固不亡羊

白马回乡驰万里
青羊入户慰千家
（张中靖）

白马晾蹄贫脱去　　　　　　老马识途知路远
黄羊得草富源来　　　　　　羔羊跪乳感恩深
　　　　　（覃钦大）　　　　　　　　（徐引生）

白羊越涧探春景　　　　　　老马识途终有意
紫燕绕梁报福音　　　　　　羔羊跪乳最多情

处处春光春处处　　　　　　老马识途辞旧岁
洋洋喜气喜洋洋　　　　　　灵羊衔穗报丰年
　　　　　（吴岱宝）

务必求真瞻马首　　　　　　老马奋蹄知路远
严防售假挂羊头　　　　　　羔羊跪乳感恩深

吉羊得草延春色　　　　　　百凤迎春朝旭日
紫燕衔泥落好家　　　　　　五羊衔穗兆丰年

吉羊健步迎春至　　　　　　百族九州辞马岁
洪福齐天及地来　　　　　　三通两岸贺羊年

未来炫炫千门喜　　　　　　回春大地生春色
羊至咩咩四海春　　　　　　引路头羊拓路程
　　　　　（杨　威）　　　　　　　　（石　凤）

老马识途归故里　　　　　　岁届新春人福寿
羔羊跪乳报春晖　　　　　　羊衔金穗业丰收

老马识途归宿去　　　　　　岁晚心雄驰骏马
吉羊献瑞报春来　　　　　　春新草茂育肥羊
　　　　　　　　　　　　　　　　　　（马骏祥）

岁焕新风燕剪柳
春来大地羊铺云

创业不当蹩脚马
建功争做领头羊
（杜　忠）

创业甘为伏枥马
富民全靠领头羊

羊归陇上春来早
马识归途业告成

羊年吉庆千家瑞
国运昌隆万物辉
（郭保中）

羊年喜千家祝福
国运昌万物生春

羊过银川行富路
猴攀玉树报丰年
（覃钦大）

羊角扶摇九万里
阳光照耀一千河
（徐鹏九）

羊角鹏程九万里
龙人风雨五千年
（胡理明）

羊迎晓日知春早
人领风骚趁岁新
（柯　彤）

羊奔富路临千寨
春带小康访万家
（刘之彬）

羊临宇内琴书乐
花缀堂中笔砚香
（陈留忠）

羊毫大写中华赋
马步高扬世纪风
（燕　燕）

羊游草地云披野
花漫山坡天落霞
（童双清）

羊群拥起千堆玉
稻浪浮来万亩金

羊群簇拥千堆雪
燕子翻飞一世春

羊瞻马首飞花里
鲤跃龙门搏浪中
（余文生）

兴大业腾飞骏马
奔小康举步灵羊

阵阵唤声融孝意　　　灵羊下界盈门喜
惓惓跪乳谢娘恩　　　乳燕衔泥满院春
　　　　　（王兴平）

欢歌笑语阳春丽　　　灵羊捷足登新境
壮志宏图物色新　　　骏马奋蹄向未来
　　　　　（郭保中）

驰荡春风追丽日　　　青山送马花前放
扶摇羊角上青云　　　紫帐迎羊酒后留
　　　　　　　　　　　　　（夕霞居士）

驰荡春风追暖日　　　英雄跨马扬长去
扶摇羊角步青云　　　龙女牧羊载福来

驯马腾飞千里路　　　画展春城描特色
牧羊更上一重峰　　　诗题羊石纪新春

好鸟鸣春歌盛世　　　凯歌阵阵送金马
吉羊启运乐升平　　　紫燕双双迎吉羊
　　　　　　　　　　　　　（寇利琼）

走马蹄香蜂醒梦　　　金马呈祥增福寿
牧羊人乐草逢春　　　灵羊献瑞续康宁
　　　　　（赵　根）　　　　（姚　忠）

迎羊送马春潮滚　　　金马奔驰改革路
入世申博喜事连　　　银羊欢跃太平年
　　　　　（周明灿）

犹思骏马奔腾急　　　金马奔腾辞旧岁
更赞矫羊奋发先　　　银羊欢舞贺新春
　　　　　　　　　　　　　（金平章）

金马扬蹄抒远志
玉羊接力展宏图

春沾芳草山羊壮
杏着红裙紫燕裁
　　　　　（邓焰如）

金马登程抒远志
玉羊接力展宏图

春草茸茸催马壮
碧溪潺潺助羊肥

金凤呈祥人得意
玉羊衔瑞事称心

春送燕来忙剪柳
鞭催羊到早铺云
　　　　（树春　铁军）

金驹辞岁羊报吉
丹凤朝阳燕迎春

春染红花迎旭日
羊衔金穗报丰年

金穗飘香香四季
玉羊报喜喜千家

春满神州舒画卷
羊临华夏入诗篇

征途跃马鬃风健
遍野腾羊草色新
　　　　（邱戎华）

春馥芳原堪走马
蛰惊雪岭竞腾羊
　　　　（胡之锦）

宝马腾飞迎福至
灵羊起舞报春来

春露秋霜连广宇
羊肠鸟道变通途

春回大地羊值岁
爱洒神州福到家
　　　　（安愚勤）

革故鼎新瞻马首
扬清激浊舞羊毫
　　　　（李旭元）

春色乍随绿柳染
羊蹄时送好风来

草肥水甜牛羊壮
人杰地灵五谷香

南山放马和平颂　　　　　倚马书春歌伟绩
北海牧羊正气歌　　　　　待羊值岁创丰功
　　　　　　　　　　　　　　　　（薛怀道）

昨夜春风刚入户　　　　　骏马已驰金世界
今朝阳气又登门　　　　　羚羊再造玉乾坤
　　　　　　（郭保中）　　　　　　（张　梧）

香伴马蹄驰富路　　　　　骏马功成领功去
情倾羊笔颂新春　　　　　吉羊捷足报捷来
　　　　　　（胡之锦）

送马岁功归史册　　　　　骏马凯旋留胜迹
挥羊毫画续春秋　　　　　吉羊欢跃贺新春

祖国喜乘千里马　　　　　骏马追风千业旺
百姓欢迎五福羊　　　　　商羊带雨九州春
　　　　　　（柳　根）　　　　　　（姚金生）

神马行空普天瑞　　　　　骏马建功百业旺
仙羊下界遍地春　　　　　吉羊开泰万家欢
　　　　　　　　　　　　　　　　（肖经华）

神骏回眸丰稔景　　　　　骏马腾飞成壮举
灵羊翘首吉祥图　　　　　灵羊起步赴新程

莺歌燕舞一元始　　　　　骏业已开休驻马
马叫牛欢四海春　　　　　鸿图再展莫亡羊

烈马征途追丽日　　　　　骏业辉煌归历史
吉羊碧野织祥云　　　　　羊毫遒劲谱新篇

骏骥欣驰千里路
羊毫喜报万家春
　　　　　（洪　荒）

梅柳催春花烂漫
牛羊满圈业兴隆
　　　　　（郭保中）

盛装金马蹄声远
健步灵羊气势雄
　　　　　（李通洲）

得意春风仍疾马
连天碧草又宜羊

得意春风扬马首
宜人景色赖羊毫

得意春风催快马
解人新岁献灵羊
　　　　　（刘福铸）

羚羊挂角挑春色
喜鹊登枝报福音

惜别垂杨难系马
喜瞻叱石尽成羊

骑马牧羊歌盛世
顶凌踏雪报新春

喜迎羊岁四时乐
聊送春光一剪梅
　　　　　（尚　鸿）

喜临盛世花盈树
福到羊年富及民
　　　　　（黄树嵩）

喜得马年成骏业
笑看羊岁展鸿图

惩贪清扫害群马
廉政全凭领队羊

道路千条驰骏马
草原万顷牧肥羊
　　　　　（陈　良）

曾借马蹄成骏业
再扶羊角上新阶
　　　　　（杨子鹏）

富路长宽争跃马
金瓯永固不亡羊

瑞雪纷纷留马迹
绿原处处现羊群
　　　　　（邹宗德）

鹊立琼枝歌盛世
羊衔金穗报佳年
　　　　　（李路红）

楼头有伴应归鹤　　　　一派生机阳春映日
原上无人见牧羊　　　　满天焕彩浩气腾云

催马唤羊逢盛世　　　　十色五光羊毫绘物
叱云沐雨览新春　　　　千红万紫手指生花
　　　　　　　　　　　　　　　（寇利琼）

雏鸭报春江水暖　　　　万象更新山清水秀
灵羊衔穗稻花香　　　　五羊献瑞日丽春华

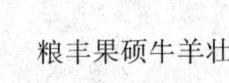

粮丰果硕牛羊壮　　　　北斗光明春台起凤
日丽风和气象新　　　　南溟壮阔羊角搏鹏
　　　　　（黄汉如）

誓做长征千里马　　　　时雨春风五羊献穗
争当改革领头羊　　　　尧天舜日百凤朝阳

撷瑞喜归羊步健　　　　国运昌隆千家敛福
踏花渐去马蹄香　　　　羊年吉庆万物生辉
　　　　　（王化东）

融资引进生财马　　　　战鼓催春春催快马
立项迎来致富羊　　　　神州唤喜喜唤灵羊
　　　　　（马骏祥）　　　　　　　（柳　根）

鲲鹏展翅扶羊角　　　　送马岁春花融白雪
莺燕欢歌送马蹄　　　　迎羊年喜鹊闹红梅

爆竹声声辞马岁　　　　骏马奔腾咸歌大有
梅花朵朵庆羊年　　　　灵羊飞跃共庆升平

绿草如茵羊盈瑞气　　　　艳阳高照江山添锦绣
红桃似火猴沐春风　　　　壮志常存祖国更富强

福鹿吉羊三元开泰　　　　留胜迹水秀山明草茂
尧天舜日万象更新　　　　谱新歌羊肥马壮春荣

碧草白羊三春图画　　　　骏马腾空神州跨骥步
金戈铁马万里征途　　　　灵羊献瑞祖国展鸿图
　　　　　　　　　　　　　　　（王建国）

万马扬蹄踏凯歌而去　　　喜鹊迎春红梅香瑞雪
群羊翘首唤春信即来　　　吉羊贺岁金穗报丰年

岁序更新马年留胜绩　　　马跃雄关马甲英风益壮
春风初度羊志展鸿猷　　　羊行大道羊角锐气常增
　　　　　　　　　　　　　　　（杨开保）

快马加鞭不坠腾飞志　　　羊笔如椽写就辉煌岁月
吉羊昂首更添奋发心　　　春风似剪裁成锦绣江山

改革起宏图九州巨变　　　红杏丛中朝见牛羊出圈
丰年添笑语万事吉祥　　　绿杨郊外夕闻鸟雀归林

张灯结彩欢庆丰收岁　　　喜洋洋绿水青山春永驻
跑马耍羊喜迎改革春　　　美滋滋丰衣足食福无边

张灯结彩欢庆丰收岁　　　三阳开泰来处处三春美景
跑马耍羊喜迎富裕春　　　五福骈臻至家家五谷丰登

新编十二生肖春联

大地迎羊农林渔牧家家富　　老马识途破雾导航奔胜境
身边纵马山水城乡处处春　　吉羊接力承先启后展宏图
　　　　　（廖志全）

万马消尘蹄声响彻三千界　　岁届吉羊燕舞莺歌齐祝福
五羊衔瑞春意浓于二月花　　年逢盛世桃红柳绿尽芳菲

门对青山羊兔群群嬉碧毯　　先富后富你富我富大家富
窗含绿水鸭鹅队队戏清波　　羊多猪多粮多钱多喜事多

马去羊来华夏腾飞添马力　　自改革来千古羊肠成大道
龙吟虎啸天公抖擞降龙才　　由开放始全新人面满春风

马去蹄香北国又添千里马　　羊笔如椽描山绘水书春意
羊来春暖南疆再现五仙羊　　马蹄腾雪步韵留香报福音

马首是瞻美酒千盅迎曙色　　羊酒微醺酡颜人共桃符艳
羊毫初试豪情万斛写春光　　春风乍拂捷报声随爆竹传

天马班师捷报频传惊宇宙　　国富民殷羊毫挥颂千秋业
仙羊降世宏图再展耀神州　　年丰人寿燕剪裁成万点春

月异日新不少羊肠成大道　　春暖人心世界三千同雀跃
春和景泰好多蜗舍变高楼　　风抟羊角云程九万共鹏飞

四季呈祥万户千家腾紫气　　铁马奔腾气壮能遂千里志
三阳开泰八方九域起红尘　　金羊进取心雄可揽九天云
　　　　　（张杰安）　　　　　　　　（林德玉）

前路辉煌笑看骏马追风去
雄雷霹雳喜见商羊带雨来

瑞雪绽红梅君正啸天傲地
劳春织绿草我来放马牧羊

浩气常存频加马力奔新路
雄风不减再握羊毫绘壮图

燕啄春泥万户厅堂增瑞气
羊开岁序千村庭院起祥光

骏马凯旋一路梅花频送笑
吉羊欢跃九州绿草快铺春
　　　　　（莫敏武）

三羊开泰蹄音响彻大千世界
五福骈臻春意迎来小康水平
　　　　　（李文君）

骏马荣归一路红花频祝捷
吉羊欢至九州绿草喜铺春
　　　　　（严士方）

万马闯雄关春回大地繁花俏
五羊开玉局旗展东风旭日辉

骏马奔驰满载乌金辞岁去
吉羊起舞豪吟白雪报春来

马步牵长风长随远景江山好
牵羊迎盛世依然十里杏花红

骏马辞年不懈奔腾千里志
吉羊献岁同迎欢乐万家春

阵阵凯歌玉门关早过千里马
融融春雨泰山顶又登带头羊

骏马嘶风奋蹄万里春光好
灵羊衔穗献瑞九州幸福多
　　　　　（李东雄）

酣墨沾羊毫记载中华创业史
丹青赋春色绘描改革鼎新图

丽日起东方欣看百业俱兴新祖国
金羊迎盛世永祝千秋普照大中华

祥自羊来美自羊来共祝羊年祥且美
瑞从玉出珍从瑞出相期玉镜瑞兼珍

　　　　　　　　　　（周东壁）

申　猴

猴与"猴"字

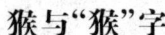

"猴"本来就是"候",也同"侯"。

"候"的原意为"伺望、观察",是猴性机灵聪明的一种表现。古人说,猴,候也;见人设食伏机,则凭高四望,善于候者也。也就是说,猿猴生性聪明警觉,善于识别猎手的诱饵,发现食物并不轻易去取,观望探察甚久,感到确实没有埋伏方才行动。

"侯",是对美猴的称赞,引申为一种美。《诗经》上有"洵直且侯"一句,《韩诗》解释说:"侯,美也。"转引为古代贵族爵位的第二等,所谓"公、侯、伯、子、男"中的"侯爵"。又泛指封有爵位的地方君主,如春秋战国时期的列国诸侯。秦汉时代,封侯拜将。于是封侯使"猴"增添了一种吉祥的象征意义。

"侯"姓,相传出自黄帝时的史官仓颉,本为侯冈氏,后简称侯。史载,春秋时晋国有侯氏。战国时魏国有著名的隐士侯嬴,曾帮助信陵君窃符救赵。汉代有大司徒侯霸,唐代有宰相侯君集,明末清初有才子侯方域,现代有著名的相声大师侯宝林。

"猿",本为"袁","袁"字极像猿猴形,连尾巴都画出来了。故传说中白猿常自称"袁公"。

"袁"姓相传出自大舜的后代,春秋时陈国有上卿为袁氏。汉代有流传甚广的"袁安卧雪"的故事,东汉末有曾同曹操争霸的袁绍和袁术,唐代有宰相袁智弘,明代有号称"公安派"的文学家袁宏道、袁宗道、袁中道,清代有著名的诗人袁枚。

"禺"本是描绘猿猴形貌的一个象形字。鲁迅《故事新编》说,大禹的禹,其实就是"禺",也是由"大猴子"变来的。"禺"又通"寓",大约是把猴子关进屋里,便叫"寄寓",后代渐渐演化为人的寓所。"禺"又通"愚",暗示猴子摆脱愚昧才能进化为人。

"犹",也是描摹猴态的一个字。它的金文字形有些像猴子偷酒食。

传说"犹"是疑心最重的猴子,一遇到风吹草动,就惊恐地攀上爬下,犹豫不决。"犹豫""犹疑"皆因此得名。

"狙",是古代普遍用以表示猕猴的字。养猿猴的人便称为"狙公"。"狙"在历代话语中多用来表示"狡黠、伺机"之意,于是出现了"狙伏""狙击""狙伺""狙诈"等一系列词语。

"独"也是表示一种猿猴的字。据说"独"秉性孤单,不合群,"孤独"之义大概由此而来,于是产生"独立""独行""独夫""独裁""独来独往"等一系列词语。

"独孤"是一种少见的复姓,出自古代匈奴独孤部。晋代时入居中原,唐代以后逐渐汉化。

猿猴俗名"猢狲",亦称为胡孙,因而"胡"姓和"孙"姓也与猴子结下不解之缘。"胡"姓,相传也出自大舜后裔,周代封于胡,因以为姓。胡为小国,被楚国灭掉。宋代有资政殿学士胡铨,明代有文学家胡应麟,现代有著名学者胡适。

"孙"姓,古代相传有三支。一支出自"姬"姓,春秋时卫国武公的后裔。一支出自楚国,孙叔敖的后人。还有一支出自齐国,陈田氏的后代。春秋战国时期有著名军事家孙武、孙膑，唐代有医学家孙思邈、书法家孙过庭。

每逢农历的壬申、甲申、丙申、戊申、庚申年，都是猴年。

猴年春联

羊开富路　　　　　　　　　　柳梅放彩
猴赶锦程　　　　　　　　　　猴羊争春
　　　　（薛怀道）

金猴共舞　　　　　　　　　　喜迎大圣
紫燕双飞　　　　　　　　　　欢唱小康
　　　　　　　　　　　　　　　　　（杨　怀）

金猴启岁　　　　　　　　　　猴年益色
绿柳催春　　　　　　　　　　花果飘香
　　　　　　　　　　　　　　　　　（郭保中）

金猴报喜　　　　　　　　　　猴扫妖孽
玉宇开春　　　　　　　　　　岁纳祯祥
　　　　（黄树嵩）

金猴跳晓　　　　　　　　　　猴桃献寿
紫燕嬉春　　　　　　　　　　鸟语迎春

金猴献瑞　　　　　　　　　　群羊献瑞
华国增辉　　　　　　　　　　众猴闹春
　　　　（杨　怀）　　　　　　　　（赵瑞珍）

欣迎大圣　　　　　　　　　　玉宇迎春至
喜步小康　　　　　　　　　　金猴献寿来
　　　　（童双清）

世纪春光好　　　羊去金瓯固
猴年气象新　　　猴来玉宇清
　　　　　　　　　　　　（杨子鹏）

古木鸣寒鸟　　　羊岁梅开瑞
空山啼夜猿　　　猴年雪兆丰

申年梅献瑞　　　羊岁雄风在
猴岁雪兆丰　　　猴年好运来
　　　　　　　　　　　　（韩修龙）

申时听瑞雪　　　羊年传喜报
猴岁望丰年　　　猴岁展新图
　　　　　　　　　　　　（郭保中）

鸟语喧花果　　　羊启三阳泰
猴声啼水帘　　　猴开五福春

鸟语喧花果　　　羊奔金光道
猴啼挂水帘　　　猴欢绿色春
　　　　　　　　　　　　（原　灯）

百业农为本　　　羊跃康庄道
万灵猴占先　　　猴腾锦绣云
　　　　　　（徐同领）

羊归草原地　　　羊衔嘉穗往
猴恋花果山　　　猴护真经来

羊去六牲旺　　　羊衔金穗去
猴来五谷丰　　　猴捧寿桃来

羊毫书万福　　　　　　　羊舞丰收过
猴棒奋千钧　　　　　　　猴吟财源来
　　　　（凌一二）

羊毫留胜迹　　　　　　　羊舞丰收岁
猴棒辟新程　　　　　　　猴呈福寿春
　　　　（时　杰）

羊毫描特色　　　　　　　羊舞丰收岁
猴棒舞雄风　　　　　　　猴吟锦绣春

羊辞冰雪地　　　　　　　羊蹄踏锦绣
猴跃艳阳天　　　　　　　猴棒鼓雄风

羊辞芳草地　　　　　　　迎春猴降世
猴到玉乾坤　　　　　　　报国志凌云

羊辞芳草地　　　　　　　宏图开玉宇
猴舞艳阳天　　　　　　　盛世显金猴

羊辞清淑景　　　　　　　灵羊载誉去
猴报吉祥春　　　　　　　猴圣请缨来
　　　　　　　　　　　　　　　（张冰雪）

羊辞霜雪地　　　　　　　鸡鸣歌善政
猴跃李桃枝　　　　　　　猴舞灭妖风
　　　　（郭保中）　　　　　　（张中靖）

羊踏雪霜地　　　　　　　金猴开玉宇
猴攀桃李枝　　　　　　　紫燕舞新春

金猴方启岁　　　　　金猴临盛世
俊鸟又催春　　　　　玉燕舞春风
　　　　　　　　　　　　（时　杰）

金猴方启岁　　　　　金猴临盛世
绿柳又催春　　　　　瑞雪兆丰年

金猴当大任　　　　　金猴捧硕果
铁臂展宏图　　　　　华夏起宏图

金猴扫妖雾　　　　　金猴惩腐恶
新岁纳吉祥　　　　　玉宇蔚清明

金猴扬正气　　　　　春风摇绿水
禹甸展鸿猷　　　　　改革奋金猴

金猴扶正气　　　　　春光辉特色
玉宇荡清风　　　　　玉宇赖金猴

金猴呈硕果　　　　　美猴腾瑞气
玉宇起宏图　　　　　金鲤戏春波

金猴驱虎豹　　　　　神猴呈万象
经济舞神龙　　　　　盛世鉴千年

金猴欣献寿　　　　　神猴翻筋斗
玉燕喜迎春　　　　　赤鲤跃龙门

猴跃千山秀
羊驰九野荣
（骆训良）

猴携祥光到
春随淑气来
（白启才）

猴舞千钧棒
春开万里花
（刘时钊）

猴舞尧天碧
鸡鸣舜日红
（洪　荒）

群羊辞旧岁
金猴闹新春

群猴齐祝福
举国共迎春

旗展五星画
猴翻万里云

燕勤家业富
猴正世风清

九州同辞旧岁
两岸共庆猴年

岁降金猴宇秀
春飞骏马辰良
（郭保中）

猴喜满园桃李
岁迁遍地春光
（郭保中）

燕语莺啼世盛
羊归猴至时明
（郭保中）

大圣迎春图改革
新风遍地倡文明

大圣重来惩腐恶
宏图再展现辉煌
（江深根）

大地回春猴献瑞
繁花似锦凤来仪
（杨　怀）

万里神州铺锦绣
千钧圣棒保平安
（陈立春）

子时羊伴烟花去
春晓猴乘爆竹来

子夜羊随爆竹去
晓晨猴驾春风来

丰年瑞雪装华夏
猴岁良宵乐纪元

天增岁月人增寿
猴献蟠桃鹿献芝

风吹野外猴攀树
春入城郭鸡跃笼
　　　　（郭保中）

火眼洞察真善美
金睛穿透暗阴毒
　　　　（张杰安）

火眼金睛开玉宇
红梅绿柳报新春

玉羊毫多添文采
金猴棒大鼓雄风

玉宇清明春色好
金猴奋起国光新

玉宇澄清开盛世
金猴奋起鼓雄风
　　　　（曾学文）

玉宇澄清浮正气
金猴奋起树新风

玉宇澄清歌大圣
神州昌盛醉小康
　　　　（柴　逸）

玉兔出宫观盛世
金猴降世笑大年

玉兔探月观新岁
金猴捧桃笑丰年

玉兔探头观美景
金猴捧果献华年

玉兔炼成长寿药
金猴横扫害人虫

玉燕迎春一国锦
金猴贺岁九州祥

玉燕迎春春永驻
金猴降福福常存

玉燕舒眉欢柳浪
金猴伸臂荡桃枝
　　　　（郭保中）

旧岁羊衔芳草去
新年猴捧寿桃来
　　　　（曹一凡）

禾生嘉穗家家乐
猴献蟠桃处处春

华堂结彩迎春到
大圣下凡送福来
（曹树汉）

白雪兆丰除旧岁
猴王下界闹新春

羊仔扬鞭歌似海
猴王举棒展雄风
（张　梧）

民颂金猴澄玉宇
岁迎紫气送灵羊

羊去犹存登山志
猴来更有奋发心

民康物阜羊留福
燕舞莺歌猴闹春

羊岁风光多壮丽
猴年大业更辉煌
（李贵和）

民康物阜羊铺锦
年瑞岁新猴闹春
（邹希林）

羊年得福全家福
猴岁迎春遍地春

吉羊留下诗千首
大圣迎来福万家

羊年喜获丰收果
猴岁欣开幸福花

老马识途千里疾
新猴贺岁百花香
（尹笋君）

羊步雄程辞旧岁
猴携瑞气报新春
（曹海通）

百姓蹁跹歌大治
桃符耀眼贺猴年
（郭保中）

羊伴吉祥传捷去
猴持如意报春来

回首羊年呈喜庆
举眸猴岁报平安

羊伴吉祥留喜庆
猴持如意保平安

羊驮硕果五更去
猴捧仙桃半夜来

羊驮瑞雪辞旧岁
猴驾祥云贺新春

（韩崇文）

羊弄笛音呈妙曲
猴攀桃树祝新年

羊角扶摇辞旧岁
猴王嬉闹庆新春

羊挟清风辞盛世
猴迎旭日耀新春

羊捋银须夸改革
猴持金棒写春秋

羊留伟绩开新运
猴展神威乐小康

羊留喜气臻洪福
猴显神通颐华年

羊逐金花驰碧野
猴攀绿树步青云

羊恋青山花草茂
猴欢碧岭果实丰

（廖先成）

羊唱凯歌辞旧岁
猴挥金棒庆新春

（米小国）

羊跃年终传捷去
猴观岁首报春来

羊衔玉穗民丰乐
猴捧金桃国富强

羊衔玉穗登勤第
猴捧仙桃入福门

羊衔玉穗登勤第
猴捧金桃入富门

（莫敏武）

羊伴烟花爆竹去
猴随时雨春风来

羊伴新风辞旧岁
猴接正气报新春

羊毫已写成功史
猴棒新开胜利衢

（陈立春）

羊毫已写辉煌史
猴岁再描锦绣图

羊毫扎笔描春色
猴子腾云振国威

羊毫点缀千秋业
猴棒辟开万里程

羊隐神州千户富
猴临大地万家春

羊隐神州传捷去
猴临大地报喜来

羊献银毫书捷报
猴挥金棒庆新春

羊辞大地千山秀
猴到人间万户春

羊辞旧岁留祥瑞
猴献仙桃祝寿康

羊歌盛世方报捷
猴舞新春又呈祥

羊聚成云天降玉
猴来踏露地生金

羊聚祥云天降玉
猴腾紫气地生金

羊裹银装知玉洁
猴生火眼识真金

羊羯回头添如意
猴王振臂保平安

羊舞烟花报捷去
猴持金棒送春来

（杨　威）

驰风掣电金箍棒
护法取经不世功

赤胆忠心扶正气
金睛火眼扫邪风

（李申群）

花果逢春香大地
蟠桃献寿甜人间

（王定清）

花果逢春铺大地
蟠桃献寿福人间

灵羊得胜班师去　　　金猴挥棒扶正气
大圣携祥报喜来　　　绿野走犁绣春光
　　　（陈立春）

灵猴出世群情奋　　　金猴得意迎春早
伏蛰惊雷大地春　　　赤子倾心建国忙

奋棒除妖无敌手　　　金猴献寿人民福
举头阅世有金睛　　　喜鹊登梅大地春
　　　（成兆丰）

金猴玉兔弄春色　　　金猴献瑞财源广
紫燕黄莺弹妙音　　　紫燕迎春生意隆

金猴奋起千钧棒　　　金猴献瑞宏图起
玉宇澄清万里埃　　　古国生辉壮志酬
　　　（毛泽东）

金猴奋起迎新纪　　　金猴献瑞春光艳
喜鹊争鸣报福音　　　彩凤呈祥淑景新
　　　　　　　　　　　　（李德芬）

金猴奋起神州乐　　　金猴携福人间驻
紫燕翻飞大地春　　　绿柳迎春大地新

金猴奋起群山翠　　　春意盎然花烂漫
祖国腾飞四海春　　　猴年喜庆舞翩跹

金猴奋棒山河壮　　　春满神州多喜气
大地回春日月辉　　　猴澄玉宇荡清风
　　　（郭保中）

送走吉羊留富贵　　　　　紫燕翩翩飞锦地
迎来大圣保平安　　　　　金猴跃跃步春晖

神猴始至春风到　　　　　紫燕翻飞千里景
金棒方抡邪气逃　　　　　金猴攀跃万年枝
　　　　（崔兴辉）

笑语欢歌迎大圣　　　　　紫燕翻飞腾柳浪
称心如意谢灵羊　　　　　金猴跳跃上春山
　　　　（刘承亮）

紧握羊毫留青史　　　　　猴山花果红如彩
奋挥猴棒辟征程　　　　　瑞地禾苗绿似茵
　　　　　　　　　　　　　　　（郭保中）

雪消门外千山翠　　　　　猴山花果红如锦
猴到人间万户春　　　　　大地禾苗绿似茵

银树呈祥千果艳　　　　　猴司新岁开鸿运
金猴献瑞万民殷　　　　　人奋豪情迈小康
　　　　　　　　　　　　　　　（杨　怀）

银树呈祥花果硕　　　　　猴岁桃符添吉语
金猴献瑞国民殷　　　　　梅间喜鹊报佳音

喜接金猴来献瑞　　　　　猴年万事皆如意
乐看丹凤共朝阳　　　　　春苑百花尽吐香

喜鹊鸣春春日丽　　　　　猴观盛世开新宇
金猴献岁岁华新　　　　　燕舞阳春庆小康

猴来佳果满山醉　　　　辞岁羊毫书捷报
春至繁花遍地香　　　　迎春猴棒舞乾坤

猴挥金棒千妖灭　　　　歌舞翩跹欣大治
鸡唱新歌百业兴　　　　桃符灿烂贺猴年
　　　　（张中靖）
猴捧仙桃祝大寿　　　　满园春色关不住
燕鸣翠柳报新春　　　　两岸猿声报喜来

猴跃满园桃李艳　　　　人寿年丰神猴献果
岁迁遍地曙光鲜　　　　山明水秀雏燕迎春
　　　　（郭保中）
猴喜满园桃李艳　　　　大地春回山河壮丽
岁迁遍地春光明　　　　金猴奋起玉宇澄清

猴棒千钧扬正气　　　　万象更新金猴献瑞
羊毫一杆颂廉风　　　　百花争艳玉宇生辉
　　　　（胡之锦）
猴献蟠桃祝万福　　　　玉燕迎春九州焕彩
春临大地发千祥　　　　金猴献瑞万里呈祥

瑞雪纷飞迎盛世　　　　玉燕嬉春九州铺锦
金猴欢跃报丰年　　　　金猴贺岁一国呈祥

献果金猴迎稔岁　　　　玉燕翻飞红梅傲雪
穿花彩蝶舞新春　　　　金猴腾跃翠柳迎春
　　　　（李路红）

龙国诗国文明古国　　　　翠竹迎春金猴献宝
猴年吉年富裕新年　　　　红梅傲雪喜鹊登枝

花果山金猴织锦绣　　　　翠柳迎春金猴献宝
小康国百姓创辉煌　　　　红梅傲雪丹凤朝阳

花果飘香美哉乐土　　　　开泰喜三羊年丰岁满
猴年增色换了人间　　　　迎新添五福猴跃春来
　　　　　　　　　　　　　　　　（和　焕）

金猴献礼家家顺利　　　　玉燕迎春九州图改革
喜鹊闹春事事吉祥　　　　金猴献瑞四海倡文明

神羊献瑞羊年如意　　　　羊去猴来九州留瑞气
金猴举棒猴岁吉祥　　　　龙骧虎步四海涌春潮

梅柳渡江九州春暖　　　　羊年五谷丰登六畜兴旺
羊猴换岁四海花香　　　　猴年九州胜利四海辉煌

紫气氤氲民歌乐土　　　　羊驾祥云去留一天瑞气
春风浩荡岁喜金猴　　　　猴挥金棒来闪万道金光

猴捧仙桃国安人寿　　　　羊舞丰收岁金猴方启岁
羊衔嘉穗物阜年丰　　　　猴吟锦绣春绿柳又催春

廉政兴春羊碑映日　　　　三羊开泰人膺幸福趁春去
贤才治国猴棒擎天　　　　万猴维新天降吉祥随日来

大圣重来棒起千钧澄玉宇
春风再度花开万里固金瓯

风云变幻金猴挥棒澄寰宇
世纪更新赤帜扬辉耀古今

玉宇澄清兴国强邦图大业
金猴奋起倡廉反腐振雄风

玉燕迎春物华天宝长安乐
金猴启泰人寿年丰大吉祥

岁月辉煌紫燕双飞穿柳陌
江山锦绣金猴对舞戏桃园
　　　　　　　（常振恒）

羊去猴来为大地回春祝福
龙腾虎跃给神州崛起壮威

羊过春山万户生辉腾瑞雪
猴攀绿树九龙舞彩振雄风
　　　　　　　（莫敏武）

羊年去矣应记取亡羊教训
猴年来兮当发扬金猴精神

羊致祥和金瓯永固千年福
猴开锦绣玉宇澄清万里埃

羊留淑景山清水秀神州美
猴展宏图日丽风和玉宇清

羊毫饱蘸浓墨重彩酬壮志
猴棒劲挥建业兴邦竞风流

羊恋草林辞别丰年留国瑞
猴嬉花果喜临大地布春光
　　　　　　　（张东继）

羊跃康庄昔年已写辉煌史
猴腾玉宇今岁再描锦绣图

羊絮飘蓝天装点辉煌世纪
猴音绕绿水畅流幸福人家

灵羊献瑞龙人实现飞天梦
大圣扬威华夏迎来强国年
　　　　　　　（倪长贵）

金猴舞时阴云扫尽金瓯固
玉音飘处薄雾吹开玉宇清

欣辞羊岁神州强盛民康乐
喜值猴年玉宇澄清国太平
　　　　　　　（倪长贵）

黄龙竞舞为大地回春祝福
金猴挥棒给神州奋起壮威

雪映梅红高奏凯歌羊报捷　　瑞雪迎春笑看九州桃李艳
风吹柳绿遥瞻美景猴迎春　　金猴献寿欣闻四海笑声喧

喜鹊登枝为大地回春祝福　　鹏翼扶摇搏击方知云浩瀚
金猴舞棒给中华崛起扬威　　猴身灵动攀登何惧路崎岖

瑞雪兆丰民富国强称盛世　　放眼望神州金猴辟开万千气象
金猴值岁河清海晏颂明时　　开门闻喜讯盛世迎来又一春秋
　　　　（倪长贵）

金猴纳福宏图大展康庄道山花烂漫
玉宇凝春盛世飞腾锦绣天舞步蹁跹

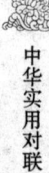

（李文君）

金猴献礼家家顺利喜鹊嬉春九州铺锦
喜鹊闹春事事吉祥金猴贺岁一国呈祥

镰运锤挥万古江山开盛世羊岁去矣应记取亡羊教训
龙骧虎奋九州儿女创殊荣猴年来兮当发扬金猴精神

酉 鸡

鸡的象征意义

很多动物,甚至植物,在人们眼中,已不是单纯的动物或植物,而被赋予了不同的丰富而深刻的象征意义。作为生肖中的动物,就更是如此了。例如虎的威武雄壮,牛的任劳任怨,猴的机灵活泼,狗的忠心勇敢,等等。同样,鸡也有其独特深刻的象征意义。

鸡最显著的象征意义就是守信、准时。公鸡报晓,意味着天将明,再进一步引申,就象征着由黑暗到光明的解放,比如说"鸡叫了,天亮了,解放了"就是这样一种递进的象征意义。

鸡守夜报晓,对于古人来说,其意义实在是太重要了。古代的计时工具非常简陋,如漏壶,它虽可计时,却不可能按时叫醒人们。睡梦中的人们不知道到了什么时候。这时金鸡报晓,告诉人们天快亮了,应该起床准备工作了。人们常说"日出而作,日落而息",但起床却不能等到日出而起,何况太阳并非天天都出来,阴雨天气便失去了观察太阳以定时间的依据。而鸡不管酷暑寒冬,还是阴晴雨雪,它都守信报晓,决不偷懒。可以说,正是因为有了鸡在黎明时的打鸣报晓,人间才开始有了新的一天的烟火和生机。

鸡的第二个象征意义是平凡和柔弱。

鸡在日常生活中，几乎随处可见。它的繁殖能力强，成活率高，对环境没有什么特别的要求，无论何地都可以饲养。俗话说，物以稀为贵。动物亦是如此，比如熊猫等物，因为太稀少了，故非常珍贵，又因为是中国才有，故又被奉为国宝。其他不少动物，不是国宝，但因为太少濒临灭绝，因此严禁捕杀，作为珍稀动物予以保护。鸡是不可能享受这种待遇的，它太多了，故被人轻贱。而且，鸡作为飞禽，其飞行能力大大退化，比不上其他的飞鸟能够自由自在翱翔蓝天；在地上行动奔跑，比不上马和狗的迅疾灵巧，所以鸡显得很平凡。

鸡很平凡，整天奔忙，到处找食，东刨西啄，尽管很勤奋，但是谈不上生活舒适。鸡的这种平凡的特性也被用来比喻人的类似的命运，称之为"鸡扒命"。意思是此人奔波忙碌，如同鸡东扒西啄一样，到头来只能聊得温饱而已，不可能享受富贵荣华。

除了柔弱、平凡，鸡也有勇敢善斗的象征意义。这一意义源于斗鸡。鸡喜欢搏斗，尤其是公鸡，两只公鸡相遇，往往有一场搏斗。为了观赏精彩的斗鸡搏杀，人们饲养了专门的斗鸡。平时平凡柔弱的鸡，一旦搏斗起来，也是勇猛顽强，厮杀激烈。人们也从中受到启发和鼓舞，学习斗鸡的勇敢善斗。这一点在古希腊有一个例子。古希腊很早就有斗鸡比赛。公元前的某一年，希腊有位将军率兵开赴前线同波斯军作战。行军途中，他看到有两只公鸡在相斗，心里不由一动，他想，如果士兵的斗志都像这公鸡一样顽强，必定能赢得战斗的胜利。于是，他命令队伍停下来，让士兵们观看这两只公鸡的勇敢搏斗。果然，士兵们受到鼓舞，在战斗中都很勇猛，取得大胜。为了纪念这次辉煌的胜利，希腊国王决定从此每年在雅典举行一次斗鸡大会。斗鸡活动很快传遍全希腊，不久又传到地中海各国、古罗马及其他国家。希腊军队的这次胜利，印证了"两军相遇勇者胜",但"勇"却源于斗鸡的启发,可见鸡也并不总是柔弱。

鸡的第四个象征意义是辟邪、去灾。

用鸡占卜,世界各地都有。古人还常用鸡驱邪和祭祀。杀鸡驱邪是一种巫术,早在先秦时期,就有用鸡和鸡血驱邪的活动。古人认为,鸡和鸡血具有驱鬼邪去灾祸的作用。

古人对祭祀非常重视。在众多的祭祀用牺牲中,鸡就是其中之一。用鸡祭祀祖宗,至今仍在一些地区流行。

鸡还用于判案。景颇族就有用鸡鸣作为审判的方式。争讼双方各携一只活公鸡到约定地点,先由巫师念经,念毕双方纵鸡,视其鸣叫以决胜负,先叫者败诉,后叫者或不叫者胜诉。

以鸡占卜,是认为鸡象征神明。除了鸡卜,各地各族还有不同的蛋卜。如在云南南部以蛋卜问疾病。遇人患病即以为鬼魂附体,用鸡蛋一只在病人身上滚擦,以为能使鬼魂附形于蛋,将蛋入锅煮熟后给巫师验看,以断吉凶。

瑶族人干任何一件事都要用蛋占卜。如择地造屋,动土前选鸡蛋一只,穿一小洞后,在蛋壳上写上"人、财、畜、鬼"四字,点火烧之,至其爆裂,视蛋白流出情形以定凶吉。如果蛋白沾于"人"字上,则以为地基犯人,房屋前后家人必多病痛;沾在"财"字上,则以为犯财,今后谋生必定艰难;沾在"畜"字上,则以为犯畜,日后牲畜必不旺;沾在"鬼"字上,则以为犯鬼,必使祖先及各种福佑之神不悦而导致不测。遇到以上情形,视为凶兆,要立即停止,而另择屋基。

人们认为鸡叫还可以驱鬼。在民间的传说中,鬼最怕听到鸡声,因为鬼只能在黑夜里活动,而鸡啼叫,代表天快亮了,天一亮,一切鬼便无法可施了。这种迷信起源很早。江南人在过年这一天"贴画鸡户(门)上",插桃符于其旁,百鬼畏之。门上张贴鸡画,百鬼就不敢上门,这是鬼怕听到鸡叫声的寓意,这种迷信直到解放初期,老人们仍有此观念;大人经常告诉孩子们说:晚上如果遇见了鬼,只要学鸡啼叫就可以把鬼吓跑。

每逢农历的癸酉、乙酉、丁酉、己酉、辛酉年,都是鸡年。

鸡年春联

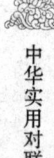

一鸡报晓　　　　　　　金鸡报晓
百鸟争春　　　　　　　瑞雪迎春
　　　(童双清)

鸡鸣晓旦　　　　　　　金鸡唱晓
燕舞阳春　　　　　　　玉宇开春
　　　　　　　　　　　　　(黄树嵩)

鸡鸣盛世　　　　　　　金鸡满架
莺闹芳春　　　　　　　银蛋盈车
　　　(童双清)

鸡鸣盛世　　　　　　　闻鸡起舞
梅报新春　　　　　　　跃马争春
　　　(周明荣)　　　　　　(童璞)

鸡鸣富足　　　　　　　雄才命世
凤语祥和　　　　　　　大德鸣春
　　　(邹宗德)　　　　　　(徐续)

金鸡报晓　　　　　　　鹊传喜报
玉燕穿云　　　　　　　鸡送佳音
　　　(郭保中)

群鸡报晓
百鸟鸣春

迎春鸡起舞
创业国腾飞

山高半片月
春晓一声鸡

鸡叫霜晨月
人迎世纪春

五更催晓箭
一唱破重霄
（余宪典）

鸡进千家瑞
猴辞万里春
（宋　领）

凤鸣大治岁
鸡唱小康年

鸡声天下曙
春意神州潮

玉宇迎春丽
雄鸡昂首歌

鸡声堪唱晓
花月可留春

玉宇清风夜
金鸡淑景春

鸡声催晓读
鸟语唤春耕

鸟唱新春绿
鸡鸣日子红
（赵　根）

鸡助农家富
龙腾赤县兴
（金立国）

旭日光天地
金鸡报吉祥

鸡鸣一日首
梅绽百花前

红鸡啼夜晓
黄犬吠年丰

鸡鸣人起舞
春到锦添花
（白启才）

鸡鸣三省亮
春暖举国荣
　　　　　（张　梧）

鸡鸣大地醒
鹊报满园春

鸡鸣万户晓
燕舞四时春

鸡鸣千户晓
凤舞四时春
　　　　（潘玉盘）

鸡鸣千里晓
燕舞万家春

鸡鸣天下白
梅放雪中香

鸡鸣天下晓
燕舞世间春

鸡鸣天报晓
民富国称雄
　　　　（梁伯彦）

鸡鸣天放晓
政改地回春

鸡鸣红日出
春至绿茵铺
　　　　　（白启才）

鸡鸣村觉晓
鱼戏水知春

鸡鸣春正好
宅旺福当先

鸡鸣春富贵
燕报岁吉祥

鸡鸣康乐世
鸟语艳阳春
　　　　　（梁　石）

鸡鸣窗下月
人笑福中春

鸡鸣寰宇翠
民望政风清
　　　　　（牛文亭）

鸡唱千门晓
莺歌万里春

鸡唱千门晓
莺歌两岸春
　　　　　（徐引生）

鸡唱中兴世　　　　金鸡迎曙色
民迎大治年　　　　芳树送春光
　　　　（吴　名）

鸡唱中兴世　　　　金鸡鸣盛世
鹿鸣大有年　　　　特色壮神州

鸡唱神州晓　　　　金鸡鸣盛世
春临气象新　　　　绿柳舞春风
　　　　（白启才）

鸡唱康平世　　　　金鸡鸣盛世
鹿鸣福寿春　　　　紫燕舞新春

金鸡日独立　　　　金鸡鸣富足
紫燕春双飞　　　　彩凤语祥和

金鸡石上立　　　　金鸡歌晓日
紫燕柳间飞　　　　骏马踏春风
　　　　　　　　　　　（张向东）

金鸡刚唱晓　　　　金鸡歌晓旦
喜鹊又登梅　　　　乳燕舞新春

金鸡迎旭日　　　　金鸡歌盛世
紫燕舞春风　　　　喜鹊报新春

金鸡迎晓日　　　　金鸡歌盛世
红杏笑春风　　　　玉燕舞新天
　　　　（雷连生）　　　　　（梁作朋）

春染千山秀
鸡鸣万木春

鹿鹤同春日
鸡羊大福年

春唤千山醒
鸡鸣万户开

随鸡同起舞
与燕共吟春

（童双清）

闻鸡人起舞
放鸽世和平

雄鸡欣报晓
绿柳喜迎春

（甘荫村）

闻鸡争起舞
举盏竞邀春

雄鸡报晓色
细雨助春犁

（章万福）

（吴华山）

骏马兴骏业
雄鸡长雄风

雄鸡歌盛世
爆竹奏新歌

（曾　觉）

雪舞丰收景
鸡鸣改革春

雄鸡歌曙色
妙手绣春光

雪舞普天瑞
鸡鸣遍地春

雄鸡瞻玉宇
赤帜舞金瓯

晨鸣兴大地
锦羽耀朝阳

紫燕迎春到
金鸡贺岁来

（孔祥经）

（谢德新）

鹏举中华壮
鸡鸣旭日新

猴引康庄道
鸡迎锦绣春

猴去丰功在
鸡来伟业兴

猴去千村泰
鸡鸣万户春

猴去威风在
鸡来捷报多

（周康杰）

猴归灵气在
鸡唤彩霞飞

（胡吉祥）

猴纳丰盈岁
鸡鸣锦绣春

猴奔小康道
鸡登大有年

猴颂三春丽
鸡歌百业兴

（王运革）

猴跃千家富
鸡鸣万里春

猴跃青云步
鸡鸣大地春

猴棒澄玉宇
鸡声报晓天

（易先知）

猴辟小康路
鸡臻大有年

猴舞九天碧
鸡鸣万户春

（刘连璧）

猴舞丰收岁
鸡鸣锦绣春

猴舞先伸手
鸡鸣早起身

猴舞澄寰宇
鸡鸣报晓天

煦风翔暖燕
旭日唱金鸡

（马新民）

群鸡鸣盛世
百鸟唱新春

鹤舞千年寿
鸡鸣万里春

燕语熏风日　　　　　　　猴舞年丰人寿
鸡鸣晓色天　　　　　　　鸡鸣国泰家安
　　　　（令狐笔如）

燕舞千家喜　　　　　　　燕舞中华壮志
鸡鸣万里春　　　　　　　鸡歌特色宏图
　　　　　　　　　　　　　　　（郭保中）

燕舞江山秀　　　　　　　一代风流兴大业
鸡鸣日月新　　　　　　　满天曙色唱金鸡

燕舞春光丽　　　　　　　一世清明开盛纪
鸡鸣国色娇　　　　　　　百花烂漫缀鸡年

万代福宅燕舞　　　　　　一声破晓唱天艳
千秋喜讯鸡鸣　　　　　　四季报时乐世清
　　　　（郭保中）　　　　　　　（王定清）

玉燕春传万户　　　　　　一夜春风来小院
金鸡晓唱千家　　　　　　万家鸡韵报新春
　　　　（郭保中）

鸟唱春天故事　　　　　　一唱雄鸡天下晓
鸡鸣岁序强音　　　　　　三通海峡月光明
　　　　（林祖韩）　　　　　　　（梁定源）

鸡唱文明社会　　　　　　一唱雄鸡兴百业
梅开锦绣江山　　　　　　齐嘶骏马奋群英
　　　　（简织环）　　　　　　　（王永豪）

紫燕巧裁美景　　　　　　人逢运至精神爽
金鸡高唱佳音　　　　　　鸡到春来翅膀舒
　　　　（吴　名）　　　　　　　（郭保中）

人歌四化金鸡唱
岁乐三春紫燕飞

人歌四海金鸡唱
春到九州紫燕飞

九州曙色金鸡唤
四海春风紫燕飞

九野风和归紫燕
千门日丽唱金鸡
（平立滨）

三春喜讯雄鸡报
九野新苗沃土生

大圣回眸还故里
金鸡昂首启新程
（王　杰）

大圣扶摇冲霄去
锦鸡欢跃唱春来

大圣取经兴大业
雄鸡唱晓鼓雄风
（凌一二）

大圣拨开千里雾
雄鸡喜报万家春

大圣建功归玉宇
金鸡携福到神州

大圣威威辞岁去
雄鸡喔喔报春来

大圣鸣金辞旧岁
雄鸡唱晓庆新春

大圣荣归夸改革
金鸡起舞颂升平

大圣捧桃欣献寿
金鸡破晓喜迎春

大圣登天回上界
金鸡接任到神州

大圣腾飞催泰运
灵鸡起舞赴康庄

大圣腾云传喜报
雄鸡唤日唱新春
（陈立春）

大圣腾空呈彩绘
金鸡振翅展雄姿
（谢龙翔）

大野鸡鸣闻凤唱
高天云起看龙腾
　　　　　（舒贵生）

万户鸡鸣催晓起
千山鸟语唤春耕
　　　　　（时　杰）

万户鸡啼丰登岁
九州燕舞幸福年

万代福宅招燕舞
千秋喜讯诱鸡鸣
　　　　　（郭保中）

万里风和千岭绿
一声鸡唱九州红
　　　　　（牛文亭）

万里春光五彩画
一声鸡韵九州春

万物争春猴岁去
千家祝福鸡年来

万家鸡叫普天锦
一夜风和遍地春

万象回春歌盛世
三声唱晓贺鸡年
　　　　　（区伯璇）

万象喜回春守信
一元欣复始司晨

万象喜随新运转
金鸡欣送好春来
　　　　　（邓枢干）

山河壮丽春长远
鸡犬安宁国富强
　　　　　（何　坤）

千村燕舞丰收景
万户鸡鸣锦绣春
　　　　　（马少良）

千里莺歌春泛绿
九州鸡唱日初红

千重柳浪惊莺梦
三遍鸡声破曙光

千家新燕歌春韵
元日雄鸡唱福音

广厦闻鸡同起舞
长征跃马共腾飞

五更鸡唱千门晓
九域莺歌万木春
　　　　　（胡吉祥）

五更鸡声声唱晓
千里马步步登高

五更夜静金鸡唱
八斗才高玉尺量

日丽神州春骀荡
鸡鸣华夏岁峥嵘

日新月异金鸡唱
鸟语花香大地春

日新月异雄鸡壮
水秀山清春意浓
（常振恒）

日新月异群鸡唱
风调雨顺五谷丰

日新月异群鸡舞
雨顺风调五谷丰

中华崛起金鸡舞
民族腾飞彩凤骄

户外鸡声催晓日
屏前人影醉春风

引凤来仪昭大治
闻鸡起舞着先鞭

引来曙色随鸡舞
唤起春风催马驰

引颈高歌鸡起舞
举旗奋进国腾飞

玉燕呢喃歌盛世
金鸡啼唱庆丰年
（周明荣）

玉燕春传欣万户
金鸡晓唱乐千家
（郭保中）

玉燕剪开千重雾
金鸡唤起万家耕
（郭保中）

龙腾盛世时时进
鸡唤晨光日日新
（胡承鸿）

归巢紫燕迎春到
报晓金鸡送喜来
（王德明）

四季香花看蝶舞
三春喜讯听鸡鸣

四海升平歌舜日　　有志士闻鸡起舞
九州盛世乐尧天　　好青年破浪乘风
　　　　　　　　　　　　　（韩俊秀）

仙鹤飞临大宝地　　岁月更新增福寿
金鸡欢唱小康村　　鸡猴交替兆丰年
　　　　　　　　　　　　　（董云龙）

白雪欣迎丰稔岁　　岁启金鸡开泰运
金鸡喜报太平年　　春归紫燕沐和风

白鹤飞来万户寿　　岁值鸡年鸡值岁
金鸡唤醒五湖春　　家盈喜气喜盈家
　　　　　　　　　　　　　（陈立春）

白鹤飞临珍宝地　　早春喜讯金鸡报
金鸡唤醒小康村　　四季花香彩蝶迷
　　　　（史洪久）

白鹤青松长寿景　　年丰人笑千重喜
金鸡红日艳阳春　　世盛鸡鸣万里春
　　　　　　　　　　　　　（黄树嵩）

鸟报祥和花报喜　　年年瑞雪迎丰岁
鸡生元宝地生财　　日日金鸡报吉祥

鸟报晴和花报喜　　年年瑞雪迎盛世
鸡生元宝地生财　　处处金鸡报吉祥

吉日芝兰香满户　　竹报平安鸡报晓
金鸡杨柳奏佳音　　花开富贵岁开春
　　　　　　　　　　　　　（刘功永）

创业扬鞭同跃马
催春擂鼓又闻鸡
　　　　　（程经华）

创业闻鸡晨起舞
兴邦策马早腾飞
　　　　　（宋文洪）

创业精神鸡唱晓
兴邦气概马腾春

兆丰消息看瑞雪
报喜佳音听鸡鸣

旭日临窗春风到
金鸡报晓紫气来

红日升空辉大道
金鸡报晓促长征

好景丰年飘瑞雪
佳音喜讯望雄鸡

花韵催春迎早日
鸡声闹舍庆丰年
　　　　　（林声耀）

丽日当空春不老
金鸡报晓我争先

两岸金鸡歌一统
九州赤子报三春

两岸猿啼歌盛世
三声鸡唱颂丰年

护国长安需大圣
催民奋进要雄鸡

把酒当歌歌盛世
闻鸡起舞舞新春

报晓驱寒迎丽日
朝阳唱暖颂新春
　　　　　（王兴平）

报晓金鸡鸣盛世
迎春紫燕颂明时
　　　　　（梁定源）

时雨春风苏万象
金鸡紫燕唤群芳
　　　　　（郭保中）

迎岁呈祥留灿烂
闻鸡起舞创辉煌

迎鸡岁铭心济世
扬马鞭立志兴邦

迎春鸡唱霜晨月
迁岁猴辞雪岭梅
　　　　　　（程经华）

鸡声未唱机声唱
才气方添财气添
　　　　　　（江深根）

迎春雅兴闻鸡起
祝福豪情伴鹊生

鸡报小康随日出
年迎大有伴春来

鸡叫已行千里路
猿啼早过万重山
　　　　　　（管　卫）

鸡报五更催学子
花开四野醉春风

鸡因世泰开喉唱
犬为时清放胆眠
　　　　　　（张家安）

鸡迎新岁家家福
国展宏图处处春

鸡年更比猴年好
家运犹连国运昌
　　　　　　（陈立春）

鸡识新机随日叫
燕寻旧主带春归

鸡年乐唱小康事
新纪欢歌大治天
　　　　　　（邹敬开）

鸡鸣一曲晨光笑
曙染千枝画景新
　　　　　　（谢振功）

鸡兴百业行行富
燕舞千姿处处春
　　　　　　（郑敏光）

鸡鸣万里长天锦
日耀九州大地春

鸡观盛世风云净
鹊闹红梅庭院香

鸡鸣万壑长天锦
日耀千山大地春

鸡声一唱东方白
猴棒三挥玉宇清

鸡鸣五谷丰登景
燕舞千家幸福年

鸡鸣玉宇春风劲
梅报神州淑景新
　　　　　（易亚卿）

鸡鸣盛世精神爽
燕舞新春福寿康
　　　　　（徐文辉）

鸡鸣吉庆有余日
犬守平安无事年
　　　　　（赵　根）

鸡鸣喜报丰收果
犬吠欣迎富贵宾

鸡鸣早报中天晓
燕乐同歌大地春

鸡鸣紫陌迎新曙
马踏青云奔小康

鸡鸣拂晓河山秀
春满神州气象新

鸡鸣新岁开鸿运
人奋豪情建小康
　　　　　（邓枢干）

鸡鸣春韵寒冬去
人唱大风豪气来
　　　　　（王善华）

鸡鸣燕舞千门福
世盛人欢四海春

鸡鸣晓日江山丽
犬吠神州岁月新

鸡描竹叶九州颂
犬绘梅花五福临

鸡鸣晓日江山丽
燕舞神州岁月新

鸡唱一声天下晓
炮鸣三响宇间清
　　　　　（王　峰）

鸡鸣特色开新宇
人赞和谐入小康

鸡唱人欢春意闹
风和日丽彩云飞

鸡鸣盛世千门秀
春满神州万物荣

鸡唱千门迎晓日
龙腾四海趁春风
　　　　　（郭保中）

新编十二生肖春联

鸡唱长空七彩练　　　　　画意正浓鸡起舞
日迎大地九州光　　　　　诗情未尽蝶翻飞
　　　　　（靳濂镜）

鸡唱五更春早至　　　　　枝头喜鹊言春早
凤鸣九域国中兴　　　　　院里金鸡报岁新

鸡唱雄声龙崛起　　　　　昂首金鸡鸣盛世
春盈喜气日升腾　　　　　奋飞紫燕闹新春
　　　　　（吴晖华）　　　　　　（樊清山）

鸡描全面小康景　　　　　和风细雨金鸡唱
莺唱各行新貌歌　　　　　旭日祥云白鹤飞
　　　　　（郑敏光）　　　　　　（毛红星）

鸡登石上鸣日月　　　　　金鸡一唱千门晓
鹤立松间阅春秋　　　　　绿柳万枝四海春
　　　　　　　　　　　　　　　　（王　岗）

鸡歌伟业声声促　　　　　金鸡一唱千门晓
民迈小康岁岁高　　　　　绿柳千条四海春
　　　　　（张国栋）　　　　　　（郭保中）

鸡舞八方频报喜　　　　　金鸡一唱千村富
龙腾九域再逢春　　　　　白雪三重万里春
　　　　　（毕润敏）

鸡舞春风迎岁首　　　　　金鸡一唱千家晓
鹊衔喜信上梅梢　　　　　绿柳三摇四海春
　　　　　（梁　石）

纵酒放歌抒抱负　　　　　金鸡一唱千家富
闻鸡起舞傲江湖　　　　　绿柳千条万象春
　　　　　（凌一二）

金鸡一唱破冬夜
紫燕双飞嬉柳丝
　　　　（屈军生）

金鸡一唱新春到
紫燕双飞瑞气升
　　　　（陈家秀）

金鸡报晓山河壮
彩凤鸣春岁月新

金鸡报晓山河美
紫燕迎春景象新
　　　　（梁庆祥）

金鸡报晓千门晓
喜鹊催春四海春

金鸡报晓千家喜
玉宇无尘万象新
　　　　（王开政）

金鸡报晓开新宇
紫燕穿梭织丽春
　　　　（钟定英）

金鸡报晓东方亮
喜鹊登梅南国红
　　　　（狄人毅）

金鸡报晓君行早
大业振兴时未迟
　　　　（张杰安）

金鸡报晓青山秀
紫燕凌空旭日升

金鸡报晓家家喜
玉宇生辉处处春
　　　　（张　过）

金鸡报晓唱新曲
大圣班师奏凯歌
　　　　（胡盛海）

金鸡报晓朝朝报
喜气盈门岁岁盈

金鸡报晓新春至
丽日生辉佳节临
　　　　（张银河）

金鸡报晓歌大治
丹凤朝阳赞中兴

金鸡报晓歌声美
紫燕衔春画意浓
　　　　（项光来）

金鸡昂首歌春晓
骏马奋蹄跃锦程

金鸡贺岁千门喜
瑞雪迎春万象新
　　　　（马骏祥）

金鸡唤出扶桑日
玉燕迎来大地春

金鸡唱彻春光美
紫燕曲成福气多
（邹希林）

金鸡晓唱千家喜
白鹭晨飞万户春

金鸡唱彻神州晓
玉笛吹回黍谷春
（陈秀如）

金鸡值岁九州旺
大圣交权万象新

金鸡唱晓三阳泰
紫燕飞翔万户春
（华意成）

金鸡高唱山河丽
布谷争鸣稻米香

金鸡晓唱丰收曲
玉犬晨歌锦绣春

金鸡高唱千家富
翠柳新添万里春

金鸡领唱迎春曲
紫燕衔来致富财
（黄允业）

金鸡高唱丰收曲
紫燕喜吟幸福歌

金鸡喜唱催春早
绿柳轻摇舞絮妍

金鸡高唱迎春曲
铁牛欢催改革潮

金鸡紫燕千秋画
绿树红花万首诗

金鸡唱出千山秀
骏马腾飞万物荣

金鸡啼出千门晓
春帖迎来万象新

金鸡唱响迎春曲
夜雨催开献岁花

金鸡啼出千门喜
绿水流来万户春

（王　岗）

金鸡啼处升红日 春至神州天焕彩
绿水流时享太平 鸡鸣盛世地生辉
　　　　　　　　　　　（伍志刚）

金鸡啼处腾红日 春色人间添秀色
春水流时淌福音 鸡声天下起新声
　　　　　　　　　　　（区伯璇）

金鸡喔喔传春讯 春临盛世金鸡舞
喜鹊喳喳报福音 岁谱新章瑞气腾

金鸡献岁人民福 春信千家传紫燕
丹凤朝阳世纪春 福音万户报金鸡

金鸡满架形势好 春晨旭日雄鸡唱
银蛋成车效益多 杨柳清风乳燕飞

鱼游春水纳余庆 春歌秋赋千家富
鸡唱曙光报吉祥 猴跃鸡鸣百业兴

春风万里金鸡唱 鸢观故国千山秀
旭日一轮碧海腾 鸡唱新春万里娇
　　　　（张敬邻）

春风吹拂金鸡醉 星移斗转邀鸡唱
瑞雪消融紫燕归 霞蔚云蒸庆岁除
　　　　（毛红星）　　　　　（韩崇文）

春风得意群鸡舞 战鼓催春抒壮志
政策归心百姓欢 金鸡报晓展雄风
　　　　　　　　　　　（陈景章）

闻鸡起舞千门晓
跃马争春万里香
　　　（李新勤）

保驾护航奔富路
昂头振翼唱东风

庭前春晓雄鸡舞
世上风清燕子飞

庭前落絮早春柳
梦里新歌晓日鸡

庭院鸡鹅谈好事
枝头燕雀话丰年

闻鸡起舞小康路
执笔狂书大业图
　　　（李明慧）

闻鸡起舞开新局
策马加鞭奔小康

闻鸡起舞从今日
跃马扬鞭正此时

闻鸡起舞抒壮志
待旦枕戈唱大风

闻鸡起舞迎元旦
击壤而歌颂小康

闻鸡起舞精神爽
听雨弹琴雅韵深
　　　（吴岱宝）

闻鸡起舞操新技
跃马扬鞭奔锦程
　　　（王达民）

闻鸡起舞臻洪福
跃马扬鞭奔小康

闻鸡踏碎霜晨月
跃鹊催开一剪梅

闻鸡舞剑珍荏苒
治学攻书趁韶华
　　　（柴　逸）

美酒千杯迎喜岁
雄鸡一唱报良辰
　　　（江冠英）

神州焕彩昌国运
鸡岁更新展壮猷
　　　（易亚卿）

神鸡颂瑞神州瑞
玉凤腾祥玉宇祥
　　　（曾　觉）

除贪高举千钧棒
贺岁争鸣五德鸡

起身不待雄鸡晓
立志当图快马飞
（白贵生）

起蛰春雷鸡啸傲
利民国策马奔腾

起舞何劳鸡报晓
登高自有志凌云
（陈立春）

桃红柳绿春光美
燕舞鸡鸣气象新
（郭保中）

晓日辉煌鸡早报
春江温暖鸭先知
（萧菊清）

笔描万壑千山画
鸡报五湖四海春

高唱长鸣迎日出
闻声起舞伴花开

凌霄紫燕裁春色
值岁金鸡唤曙光
（丁首莆）

朗朗鸡歌迎旭日
翩翩燕舞沐春风
（陈立春）

雪染银山山缀锦
鸡鸣时雨雨催春
（廖志全）

雪霁依然芳草绿
鸡鸣更是艳阳红

梅开千朵报春信
鸡唱一声传福音

梅花吐艳新春丽
鸡韵成歌盛世长

梅放异香彰瑞气
鸡鸣盛世尽春光

盛世鸡鸣多悦耳
新春燕舞自开心

盛世金鸡成彩凤
神州瑞气化祥云
（梁和平）

盛世鸡鸣犹悦耳
新春燕舞自开心

盛世逢春兴大业　　　　　　彩凤鸣春春不老
金鸡报晓起宏图　　　　　　雄鸡报晓晓生晖
　　　　　（赵　刚）

接福堂临王谢燕　　　　　　彩凤鸣春春色美
迎春院唱逑琨鸡　　　　　　金鸡报曙曙光新
　　　　　　　　　　　　　　　　（邓步高）

晨光初露雄鸡唱　　　　　　喜听鸡唱迎春曲
红杏出墙彩蝶飞　　　　　　又见鹊衔致富图

唱晓金鸡歌盛世　　　　　　喜报人间逢盛世
长征骏马着先鞭　　　　　　春盈大地舞金鸡

跃马扬鞭芳草地　　　　　　喜贴春联辞大圣
闻鸡起舞杏花天　　　　　　笑斟美酒贺金鸡

跃马扬鞭抒壮志　　　　　　喜贺鸡年春艳艳
闻鸡起舞建丰功　　　　　　春辞猴岁喜盈盈
　　　　　（蒙卫军）

跃马扬鞭添福寿　　　　　　喜鹊欢歌千里福
闻鸡起舞赴康庄　　　　　　金鸡喜报万家春
　　　　　　　　　　　　　　　　（邓枢干）

跃马腾飞兴骏业　　　　　　喜鹊登枝迎新岁
闻鸡起舞绘鸿图　　　　　　金鸡起舞报福音

彩凤呈祥开凤历　　　　　　喜鹊登枝啼福韵
金鸡报喜庆鸡年　　　　　　金鸡起舞报新春
　　　　　（李绪林）

喜鹊登梅门有喜
金鸡报晓地生金

喜炮千声歌盛世
金鸡三遍报新春

堤柳欲眠鸡唤醒
春花初绽蝶闻香

朝阳晨露雄鸡唱
瑞气春花紫燕飞

雄鸡一唱人间暖
黎庶齐歌华夏春
（劲　松）

雄鸡一唱江山秀
紫燕双飞杨柳春

雄鸡一唱炊烟起
骏马三嘶田野忙
（史洪久）

雄鸡劲唱催春艳
彩凤和鸣报岁新
（屈云慈）

雄鸡报晓吟新曲
丽日巡天耀小康
（郭怀瑾）

雄鸡昂首鸣春晓
喜鹊登枝报福音

雄鸡高唱江山丽
赤县腾飞俊彦多
（刘钧昌）

雄鸡高唱迎春曲
鸿雁长吟入世歌
（史洪久）

雄鸡高唱英雄曲
中国激荡改革潮

雄鸡高唱催春早
彩凤长鸣颂世昌

雄鸡唱晓新春到
喜鹊登枝幸福来

雄鸡喜报春光好
健笔大书正气多

雄鸡喜报春光美
健笔勤书正气多

雄鸡喜唱升平日
志士高歌改革年

紫燕千声传喜讯
金鸡万语报佳音
　　　　　（郭保中）

紫燕千声春意秀
金鸡万语杏花红
　　　　　（郭保中）

紫燕双飞寻故地
金鸡独唱贺新春
　　　　　（魏明德）

紫燕双归寻旧宇
金鸡一唱报新春
　　　　　（戚万丰）

紫燕迎春穿绿柳
金鸡交岁舞丹阳

紫燕旋飞寻旧宇
金鸡高唱贺新年

紫燕裁新两岸柳
雄鸡唤醒九州人
　　　　　（徐海生）

紫燕衔来千岭绿
金鸡唱出万家春
　　　　　（刘连璧）

紫燕衔春春烂漫
金鸡唤日日光明
　　　　　（杨逸民）

紫燕翻飞穿绿柳
雄鸡起舞赞红梅

策马催鞭扬国力
闻鸡起舞振民魂

猴入水帘清玉宇
鸡鸣曙色亮神州

猴去江山添秀色
鸡来日月发春辉

猴归花果前程美
鸡唱神州世纪新

猴归鸡至春光暖
柳暗花明气象新

猴归鸡至霞光闪
冬去春来瑞气腾
　　　　　（严培龙）

猴岁已兴千载业
鸡年更上一层楼
　　　　　（郑敏光）

猴岁奇功须庆酒
鸡春伟业待高歌
　　　　　（樊清山）

猴岁赢来新业绩
鸡年唱出大文章

猴奋千钧添瑞彩
鸡鸣五德乐升平
（朱昌其）

猴年才写辉煌史
鸡岁又开锦绣衢

猴奋已教千户乐
鸡鸣又报万家春
（陈立春）

猴年共创文明业
鸡岁齐奔锦绣程

猴披冬雪领功去
鸡唱春歌报喜来
（韩崇文）

猴年事事合心意
鸡岁家家沐春风
（王喜洋）

猴驾祥云传喜讯
鸡迎旭日报佳音
（管 卫）

猴年送旧家家乐
鸡历迎新处处歌

猴驾祥云沽美酒
鸡歌雅曲醉春风
（叶荫郊）

猴年铺就康庄道
鸡岁敲开富裕门
（崔士民）

猴挥金棒开新局
鸡唱朝阳焕彩霞

猴欢鸡唱辉煌地
海晏河清锦绣天

猴挥金棒开新路
鸡颂春风起浩歌
（李锦文）

猴戏千祥添富贵
鸡鸣万福祝平安
（郭茂禄）

猴载丰功潇洒去
鸡啼好雨欢欣来

猴闹千山攀碧树
鸡歌万里唤阳春
（史洪久）

猴持威棒肃贪腐
鸡啼报晨倡洁廉
（邹希林）

猴递福书秉伟绩
鸡开金嗓唱丰年

猴辟财源开富路
鸡鸣喜讯报佳音
（陈初文）

猴跃鸡鸣逢盛世
莺歌燕舞庆新年

猴腾玉宇千山秀
鸡唱高楼万户新
（周国仁）

猴跃青云霞万里
鸡鸣盛世锦三春

猴舞三春天赐福
鸡鸣四季地生金

猴随腊去欣除旧
鸡唤春来喜布新

猴舞千钧除魅气
鸡鸣万户报春晖

猴剪紫霞编锦去
鸡鸣红日破云升
（石春荣）

猴舞中华山水美
鸡唱大地晓光新

猴棒才除千里雾
鸡声又报万家春

猴舞康庄春吻日
鸡鸣盛世福临门
（张旭岩）

猴棒曾描丰收锦
鸡歌又谱富庶章

善政千家结硕果
雄鸡一唱鼓春风
（杜正尧）

猴献仙桃人长寿
鸡鸣新岁国增辉

富路初开鸡声脆
宏图再展马蹄忙
（惜　明）

猴献仙桃千叟乐
鸡啼晓日万家春
（张国培）

窗外鸡声吟晓日
柳间燕语话祥光
（令狐笔如）

瑞气盈门勤致富
金鸡报晓广生财

瑞雪纷飞山披锦
金鸡起舞翅含香

瑞雪纷飞年大有
金鸡起舞岁平安

瑞雪迎春歌盛世
金鸡报晓颂尧天

献岁鸡声融捷报
迎春爆竹送佳音

献岁金鸡鸣喜庆
迎春玉燕舞祥和

锦鸡披彩迎新禧
骏马腾蹄赴小康
　　　　　（叶逢荣）

猿啼万壑春潮涌
鸡唱五更曙色开
　　　　　（连　农）

猿啼已望轻舟远
鸡唱早催曙色新
　　　　　（董一行）

福归瑞兆人间喜
鸡至春回岁序新

新岁临门留福祉
锦鸡唱晓送祯祥

新春消息鸡先报
小院梅香鹊早知

碧水清波观鸭泳
竹篱农舍有鸡啼
　　　　　（陈栋梁）

碧野千重铺锦绣
金鸡一曲唱丰收

舞剑闻鸡成大器
擎旗纵马请长缨

鹤翔九宇千秋泰
鸡唱三春五谷丰
　　　　　（卫　国）

燕工玉剪裁春锦
鸡振金声赋美文
　　　　　（刘新秀）

燕语莺啼春永驻
鸡飞凤舞景长新
　　　　　（邹宗德）

燕舞江山千古秀　　　　　大地春回金鸡唱晓
鸡歌草木四时新　　　　　中天日丽玉凤腾空
　　　　　（郭保中）　　　　　　　（梁定源）

燕舞神州多壮志　　　　　飞雪迎春宏开化境
鸡歌盛世灿画图　　　　　闻鸡起舞再上层楼
　　　　　（郭保中）　　　　　　　（董汝河）

翱翔彩凤歌宏业　　　　　今日标高何妨立鹤
振翅金鸡颂小康　　　　　明朝起舞还是闻鸡
　　　　　（王文华）　　　　　　　（莫　非）

爆竹千声歌盛世　　　　　丹凤来仪春回大地
金鸡三遍唱丰年　　　　　金鸡报晓福满人间

乙木峥嵘千山壮丽　　　　玉宇澄清花香鸟语
酉鸡雄健四季丰饶　　　　金鸡报晓人寿年丰
　　　　　（刘振球）

九域龙腾乾坤换岁　　　　玉燕巧裁三春美景
一声鸡唱天地皆春　　　　金鸡高唱四季佳音
　　　　　（彭善民）

大业垂成清辉满室　　　　布谷鸣春人勤物阜
金鸡报晓喜气盈门　　　　金鸡报晓民富国强
　　　　　　　　　　　　　　　　　（于锡义）

大地回春三阳启泰　　　　布谷鸣春年丰物阜
雄鸡报晓四海升平　　　　金鸡报晓国泰民安
　　　　　（尹笋君）

大地春回金鸡报晓　　　　旭日光红金鸡报晓
中天日丽玉宇生辉　　　　秧田畦绿玉燕鸣春
　　　　　　　　　　　　　　　　　（李文锦）

报晓鸡迎新唱福至
齐天圣送旧争春来
（林启贤）

鸡报新春春光明媚
猴辞旧岁岁月峥嵘

鸡鸣新岁财源滚滚
凤集芳村福气腾腾
（宁正德）

金鸡报晓山河溢彩
大业中兴日月增辉

金鸡报晓春回大地
玉宇生辉日丽中天
（潘玉盘）

金鸡高唱山河溢彩
大业中兴日月增辉

金鸡高唱春天故事
赤子竞描新纪蓝图
（邓胜汉）

金鸡唱引一轮红日
紫燕衔来万缕春光
（史洪久）

金鸡醒梦春光正好
骏马登程旭日方升

昨夜猴辞春回万里
今朝鸡唱福至千家
（宁正德）

闻五更鸡舞三尺剑
策千里马争一年春
（莫　非）

盛世繁华千鸡报晓
小康大道万户迎春
（吴华山）

喜庆新春闻鸡起舞
欣逢盛世跃马扬鞭

喜鹊登枝欢迎新岁
金鸡唱晓报告福音

紫燕衔来丰收希望
金鸡唱出时代篇章
（苏　熠）

瑞雪迎春春风荡漾
金鸡报喜喜事连绵
（王　岗）

踏雪迎年寻梅岭表
闻鸡报晓试马春郊

舞庆升平常思安定
鸡鸣康乐莫忘艰辛
（卓　三）

鹰击长空兴邦有志
鸡鸣大地治国倾心

一唱雄鸡千家迎晓日
万声爆竹四海舞春风

三界鸡鸣传丰收喜讯
新春燕舞报幸福佳音

三春景好闻鸡先起舞
两岸情深盼燕早归来

大圣捧桃桃李满天下
金鸡献瑞瑞祥降世间

日度小康花绽千门喜
年逢大有鸡鸣万户春
　　　　　　　（周伟仪）

引日鸡鸣先知天下晓
凌寒梅绽早报国中春
　　　　　　　（李　仁）

百姓迎春祝愿平安岁
雄鸡报晓高歌幸福年
　　　　　　　（李赤怀）

岁月更新金鸡啼日出
河山生色紫燕报春归

酉寓有酉岁家家富有
鸡谐吉鸡年户户多吉
　　　　　　　（许承炎）

鸡唱万家春春光浴日
马酬千里志志气凌云
　　　　　　　（莫　非）

金鸡歌盛世千花竞艳
喜鹊报新春百业长兴
　　　　　　　（黄太茂）

春意盎然阵阵金鸡唱
祥云缥缈徐徐旭日升
　　　　　　　（李安国）

闻鸡启步骏马迎春跃
踏雪过年葵花向日开

银燕腾飞带动三江富
金鸡起舞迎来四海春
　　　　　　　（袁泽达）

雄鸡一唱江山扬正气
骏马齐飞大地竞风流
　　　　　　　（任德全）

雄鸡一二声人间尽晓
瑞雪三五片天下皆春

雄鸡报晓千家迎晓日
爆竹接春万户沐春风
　　　　　　　（朱昌其）

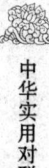

紫气缭绕金鸡破晓日
春风浩荡玉凤舞丰年
　　　　　　（樊清山）

瑞雪迎春兆丰看瑞雪
金鸡唱晓报喜听金鸡

瑞雪纷飞喜庆丰收岁
金鸡起舞欢歌富裕年

爆竹一声神州呈异彩
金鸡三唱祖逖着先鞭
　　　　　　（李安国）

司晨报晓鸡有勤劳美德
激浊扬清猴留战斗精神

远景初描猴岁已收硕果
宏图大展鸡年更上新阶

鸡报晓晓日升升平世界
梅迎春春光亮亮丽河山

明时玉凤腾九州生意满
晓日金鸡唱万里瑞云升
　　　　　　（梁定源）

金马兆祥一路凯歌奔去
雄鸡开泰千层瑞气光临
　　　　　　（谷海燕）

金鸡引颈高歌春临大地
玉燕绕梁飞舞福满农家
　　　　　　（李安国）

金鸡唱两岸闻声同起舞
旭日升千山吐翠共吟诗
　　　　　　（周劲晖）

厚德同怀家国盈盈瑞气
雄鸡早唱乾坤灼灼春光
　　　　　　（吴轻舟）

闻鸡起舞百族高歌大有
策马迎春九州齐奔小康
　　　　　　（潘文通）

除夕猴在山重享齐天乐
迎春鸡报晓高唱东方红

借他火眼金睛严捕硕鼠
闻此黎明高唱快步小康
　　　　　　（陈浩仁）

银燕穿云巧裁三春美景
金鸡报晓喜获五谷丰登

策马前行行进小康大道
闻鸡起舞舞兴盛世中华
　　　　　　（梁定源）

猴岁呈祥长空五光十色
鸡年纳福大地万紫千红

猴岁莺歌燕舞万民欢乐　　　大圣心灵写成塞北诗中画
鸡年虎跃龙腾百业昌隆　　　神鸡舌巧唱出江南锦上花
　　　　　　（喻斯美）

猴转金睛回望中国特色　　　大圣功高澄清玉宇尘埃少
鸡扬锦羽纵观世界风云　　　雄鸡福广唱彻金声快意多
　　　　　　（陈初文）　　　　　　　　　　（陈立春）

猴遁鸡来建设小康社会　　　大圣荣归重整花山图再战
龙腾凤起推敲大块文章　　　金鸡高唱欢歌祖国庆中兴
　　　　　　（刘松生）　　　　　　　　　　（莫敏武）

鸿雁传书送去千村喜信　　　大圣班师一路凯歌笳鼓竞
金鸡报晓迎来万户春光　　　雄鸡振翅几声雅唱瑞云生
　　　　　　（黄增奎）

燕剪穿云裁出三春美景　　　大圣辞年万里河山留瑞霭
鸡声唱晓迎来五谷丰年　　　雄鸡报晓千家楼阁映朝晖

一唱雄鸡唤醒云霞出海曙　　大地回春德政咸滋人本固
双飞紫燕衔来梅柳渡江春　　雄鸡报晓宏图迭起国基强
　　　　　　（陈铭新）　　　　　　　　　　（钟朝栋）

乙木逢春春光灿烂与时进　　天马跨云端俯瞰人间秀色
酉鸡接岁岁月辉煌逐日新　　雄鸡鸣大地欢歌华夏春光
　　　　　　（刘剑光）　　　　　　　　　　（谷海燕）

人寿年丰金猴辞岁归帘洞　　北斗回寅万户金鸡争唱晓
民安国泰玉羽司晨报晓春　　东风送暖一双紫燕喜迎春

大业方兴五星旗展金鸡唱　　北斗回寅金鸡报晓催人起
小康在望四海图开彩凤飞　　东风送暖紫燕衔春入户来
　　　　　　　　　　　　　　　　　　　　（魏明德）

玉宇回春初绽梅花三两朵
金鸡报晓乍闻爆竹两三声

玉兔东升千江有水千江月
金鸡晓唱万户朝阳万户春

有凤来仪春风得意天天富
闻鸡起舞壮志凌云步步高
　　　　　　（易庚山）

赤县回春金鸡报晓山河壮
红梅傲雪喜鹊登枝气象新
　　　　　　（胡吉祥）

赤胆兴邦喜做闻鸡起舞事
青春许国羞为待兔守株人

报晓长鸣唤醒人间遍地舞
凌空高唱催开花朵满天香
　　　　　　（杨　威）

鸡鸣喜事报新年年年如意
猴唱欢歌辞旧岁岁岁平安
　　　　　　（喻斯美）

鸡唱三通万家春正乾坤气
凤鸣两岸一树梅开天地心

鸡唱门庭四海升平歌舜日
犬蹲院里九州盛世乐尧天

金鸡一唱报新春千山竞秀
瑞鹤三声鸣翠竹百卉争妍
　　　　　　（李安国）

金鸡一唱新年共筑小康路
紫燕双飞盛世同歌大国风
　　　　　　（焦相山）

金鸡报晓改革似春风化雨
彩凤朝阳腾飞如旭日升华

金鸡报晓时转三阳迎淑气
红梅竞放花开五福庆丰年

金鸡报喜喜逢盛世世风好
赤县迎福福入红联联意新
　　　　　　（卫　国）

金鸡报稔千家美酒千家醉
瑞雪迎春万树梅花万树香

金鸡破晓腾空旭日华光射
大地回春惊世神州伟业开
　　　　　　（袁国忠）

金鸡唱晓万里朝霞捧旭日
喜鹊登枝满天瑞雪艳红梅

春满神州山欢水笑迎春节
鸡鸣盛世燕舞莺歌庆鸡年

星移斗转大地金鸡争唱晓　　　雄鸡高唱朝霞辉耀小康路
冬去春来神州喜鹊乐登枝　　　生面顿开神采飞扬世纪春
　　　　　　　　（陈钦佑）　　　　　　　　　　（许玉书）
点点梅花笑迎雄鸡朝天唳　　　雄鸡唱韵万户桃符新气象
声声爆竹欢送大圣载誉归　　　大地回春群山霞彩富神州

神猴辞岁保驾护航奔富路　　　雄鸡喔喔颂尧天邦兴国治
金凤迎春昂头振翼唱东风　　　腊狗汪汪歌舜日春暖花开

颂大圣玉宇澄清民安国泰　　　紫燕迎春衔得春光枝上弄
奔小康金鸡报晓日丽春新　　　金鸡报晓啼来晓色水中游
　　　　　　　　　　　　　　　　　　　　　　　（张河清）

骏马迎春沿途尽赏山川美　　　紫燕迎春一路东风歌大治
雄鸡贺岁昂首高歌日月新　　　金鸡唱晓九州时雨润小康

捷报频传圣猴劲舞辞岁去　　　紫燕衔泥又筑新巢喧宅第
宏图再展金鸡高唱迎春来　　　金鸡唱晓频传喜讯到城乡

彩凤高翔恋我中华春不老　　　策马扬鞭万里征程追日月
金鸡喜唱歌斯盛世乐无穷　　　闻鸡起舞千年伟业争朝夕
　　　　　　　　　　　　　　　　　　　　　　　（陈钦佑）

雄鸡报晓喜看赤县千山绿　　　猴挥新棒震西天西天颔首
大圣回元高举红旗万代扬　　　鸡唱初阳赞东岳东岳扬眉
　　　　　　　　（陈金顺）

雄鸡昂首报晓司晨鸣富贵　　　猴驾祥云一路春风腾玉宇
伟业启头追星赶月向荣华　　　鸡联雅韵千钧椽笔写中华
　　　　　　　　（李佳文）　　　　　　　　　　（陈初文）

瑞雪迎春国富民殷酬壮志
金鸡启泰人欢马叫跃前程
　　　　　　　（姚　忠）

鸡鸣早看天抓住时机求发展
水近先得月紧跟形势上台阶

雷震南天滚滚春潮生九域
鸡鸣大地彤彤旭日耀寰球

鸡鸣曙日红万里金光辉瑞霭
柳舞春江绿千重锦浪映丹霞

辞旧迎新金鸡高唱神州美
莺啼燕语玉树喜迎大地春
　　　　　　　（谢晋轩）

试看好河山处处被金鸡唤醒
且听新消息天天从玉宇飞来

新岁新声一唱雄鸡天下晓
好年好运同兴伟业世间春
　　　　　　　（李一立）

春回大地喜庆新春闻鸡起舞
福满人间欣逢盛世跃马扬鞭

燕舞九州港澳百兴民意顺
鸡鸣两岸陆台一统国威扬
　　　　　　　（朱海清）

振翅欲冲霄一唱雄鸡声破晓
迎春思试剑三擂战鼓气吞虹

九域涌新潮四海雄鸡争唱晓
三春辉紫气八方彩凤共朝阳

海峡满鸡声三通已见繁荣景
天桥稠鹊影两制永修畅达途
　　　　　　　（唐文桂）

万象喜回春守信知廉标五德
一元欣复始司晨报午必三鸣

紫燕舞春风万木峥嵘花似海
金鸡啼晓日满门溢彩客如云
　　　　　　　（张国培）

华夏锦江山城镇乡村同发展
乙酉新岁月诗联书画共讴歌
　　　　　　　（李轩才）

瑞雪映丰年稻黄棉白千畴景
金鸡唱赤县水绿山青四海春

鸡鸣大有年百业腾飞呈特色
人步小康路八音齐奏颂昌时
　　　　　　　（刘育辉）

雏凤发清音继起群英肩大任
雄鸡舒劲羽革新一族接春光

大启明轩纳四海春风五洲霁月
宏开特色听九天鸡唱万里龙吟

问燕寻春燕曰春天就在人心里
听鸡报晓鸡言晓日原擎我手中

金鸡高唱传喜讯闻鸡起舞江山秀
丹凤和鸣报吉祥瞻凤吟歌杨柳青

(李文君)

雄鸡贺岁玉燕鸣春九州安乐歌新政
彩凤呈祥金龙献瑞一脉文明展壮图

(吴丽娜)

骏马飞蹄春回大地喜庆新春闻鸡起舞
金鸡报晓福满人间欣逢大福跃马扬鞭

金猴奋起辞旧岁岁末年丰辞去一岁辛劳泪
雄鸡引颈迎新春春始人乐迎来三春幸福歌

把酒当歌歌盛世金鸡喜唱催春早癸戴草头朝赤日
闻鸡起舞舞新春绿柳轻摇舞絮妍西添春水上朱颜

大圣辞年万里河山留瑞霭捷报频传大圣劲舞辞岁去
雄鸡报晓千家楼阁映朝晖宏图再展雄鸡高唱迎春来

鸡唱月归一线长天皆瑞霭犬吠三通万家春正乾坤气
犬歌日出九州大地尽朝晖凤鸣两岸一树梅开天地心

点点梅花笑迎雄鸡朝天唳紫燕迎春一路东风歌大治
声声爆竹欢送大圣载誉归金鸡唱晓九州时雨润小康

大业方兴五星旗展金鸡唱振翅欲冲霄一唱雄鸡声破晓
小康在望四海图开彩凤飞迎春思试剑三擂战鼓气吞虹

猴去鸡来胜利年终迎胜利猴年赞金猴棒奋千钧除腐败
莺歌燕舞腾飞岁喜再腾飞世人歌盛世家兴万富民康宁

万象喜回春守信知廉标五德九域涌新潮四海雄鸡争唱晓
一元欣复始司晨报午必三鸣六合辉紫气八方彩凤共朝阳

鸡鸣早看天抓住时机求发展犬吠曙日红万里金光辉瑞霭
水近先得月紧跟形势上台阶柳舞春江绿千重锦浪映丹霞

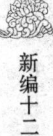

戌　狗

狗和狗的象征意义

　　狗是人类患难与共的朋友,被认为是通人性的动物,它对人类特别忠诚,因而具有忠贞不渝的寓意。"牧羊犬三千里寻主""义犬救主"等例子很好地说明了这一点。用"犬马之劳"来表示臣下对君主的忠心耿耿。不过狗爱仗人势,"走狗"便含有贬义,鲁迅先生描写的"丧家的资本家的乏走狗",象征了那类没有民族骨气的无耻文人。

　　从民俗学的角度来看,狗还有一些其他的含义。

　　总的来说,中国人把狗视为吉利的动物,如果谁的家里突然来了一只狗,主人就会很高兴地收养它,因为它预示财富来临,所谓"猫来穷,狗来富"。狗和主人同甘共苦,如果有什么灾祸来临,它也会预示前兆,比如狗上房是暗示盗贼将至。狗喜欢吠叫,但其吠必有原因,因而古人以狗吠的时辰来取象吉凶的征兆。如子时狗吠,主妇必吵;丑时狗吠,心烦不眠;寅时狗吠,财神临门;卯时狗吠,前程似锦;巳时狗吠,亲人要来;午时狗吠,有人请客;未时狗吠,妻有外心,必遇小人;申时狗吠,小孩有祸;酉时狗吠,加官晋禄;戌时狗吠,提防生是非;亥时狗吠,当心吃官司。

　　狗的毛色,常有黄、红、白、黑、褐、棕等或两三色以上间杂,根据古人的看法，不同毛色的狗，其品质也各不相同。《六畜相法》一书认为：黄眉的黑狗宜看守，浑身全是黑毛则是耗财的祸胎；狮子狗是吉祥之物，尤其是黑色的狮子狗更能让人致富；黑狗如果白胸白臀，就会带来灾祸；黄狗的眉毛颜色要淡，如果太深了，也是不吉利。而《杂五行书》认为，黄狗品质最好，白狗品质最差。但白狗因具体情况不同，其象征的意义也会不同。该书说：白狗黑头，会使主人发财；白狗黑尾，会使主人世世有车乘；黑狗白耳，会使主人富贵；黑狗白前两足，主人子孙兴旺发达；黄狗白尾，主人衣食不愁。

我国古人认为，狗除了有预兆吉凶灾异的象征作用以外，还有除灾的作用。为什么呢？根据《礼论》的说法，狗属于"至阳之畜"，在东方烹狗，可以使阳气勃发，从而蓄养万物。东汉的应劭在《风俗通义》中有另外的解释，他说：天子所居住的城市一共有十二门，东方的三门是生气之门，为了不使死物在生门出现，所以在另外的九门前杀狗去灾。狗在阴阳五行学说中，与五行中的金相配合，又与方位中的西方对应，而与东方木相克，杀狗有驱除春天的阴湿疫气，使万物复苏成长的作用。狗能够去邪免灾，这并非是什么奇谈怪论，就连明代著名的医学家李时珍也认可狗的这一特殊功能，他在《本草纲目》中记载道：术家认为狗能够禳辟一切邪魅妖术。《史记》说：秦国在城池的东、南、西、北四门前肢解狗以抵御灾害。同时，用白狗的血涂在门上以驱逐不祥。

狗与人类的关系这么密切，又具有那么神奇的作用，因此，狗成了古人祭祀时最常用的牲畜之一。周代专门设有"犬人"之职，就是专门掌管"犬牲"的。古人祭祀时也编草为狗，谓之"刍狗"，衣以文绣，陈而祭之，祭祀一结束，就把它丢在大道上任车马践踏。老子说："天地不仁，以万物为刍狗；圣人不仁，以百姓为刍狗。"历来对这句话的理解存在许多分歧，但"刍狗"一词的含义还是确定的。

狗是人们的好伙伴,"天狗"却是人们畏惧的凶神恶煞。旧时婚礼之前,算命先生选择吉日良辰,选定之后在一张红纸上写清婚礼详略以及避忌事宜。其中重要一项就是不要冲犯了"天狗"。

从前许多不育的妇女都供奉"张仙"来祈子,称为"送子张仙",没有塑像。画上的"张仙",是一位角巾袍服的美男子,他手执弹弓,仰头对天作瞄准姿势。据说他是在用弹弓去射杀"天狗"。因此北方习俗供奉"张仙",除了香花酒肴,还有一盘五个用生面揉成的圆球,是送给他用来射"天狗"的弹子。

"天狗"的恶行不是只有使妇女不育这一项,民间相传"月食"就是"天狗"吞食月亮造成的。所以在月食时,人们要敲响器救月,据说敲响器的声音大作,就会吓得"天狗"把月亮吐出来。古时候敲响器救月亮,并不是少数"无知愚民"才这样做,就是宫廷中司天的小吏们,也要敲铜器救月,直到月儿复原为止。

不但人类养狗,天上神也会养狗作宠物的。民间相传二郎神杨戬就有一只"哮天犬",随时跟在二郎神身边,陪他降妖捉怪。

关于狗的种种象征意义及其传说,既有自然因素在里面,又有人为的神秘成分在其中。

与狗有关的成语不少。如"犬不夜吠",比喻社会治安良好,没有盗贼。"犬马齿穷(索)",谦称自己年老体衰。"犬马之疾",谦称自己的疾病。"犬马之年",谦称自己的年龄。"犬马之诚",谦称自己的诚意。"犬马之心",指臣下对君主的忠心。"犬马之养",指子女供养父母。"犬牙交错",形容地形分界处交叉错杂,也泛指形势错综复杂。"犬牙相制",指地界参差交错,互相牵制。"犬牙盘石",指封建时代分封宗室以巩固统治……

每逢农历的甲戌、丙戌、戊戌、庚戌、壬戌年,都是狗年。

狗年春联

人勤四季　　　　　　新春卧犬
犬护一门　　　　　　疏柳啼莺
　　　（郭保中）　　　　（郭保中）

岁时交替　　　　　　人勤家富裕
鸡犬相闻　　　　　　犬静世升平
　　　（邹宗德）　　　　（江深根）

金鸡报晓　　　　　　犬厉堪欺虎
玉犬迎春　　　　　　鱼灵巧化龙
　　　（张家隆）

金鸡报晓　　　　　　犬守太平世
神犬驱邪　　　　　　梅开如意春

金鸡唱旦　　　　　　犬守升平岁
玉犬值宵　　　　　　民歌大有年
　　　（郭保中）　　　　（王开政）

金鸡唱晓　　　　　　犬守平安日
黄耳迎春　　　　　　梅开如意春
　　　（曾国荣）

春临福地　　　　　　犬守平安日
犬报丰年　　　　　　梅开富贵春
　　　（安愚勤）

闻鸡起舞　　　　　　犬守平安岁
放犬缉私　　　　　　花开幸福春
　　　　　　　　　　　（梁作朋）

犬守平安夜　　　　　司晨鸡有德
鹊鸣幸福年　　　　　靖世犬无声
　　　　　　　　　　　　　（王西康）

犬守良宵夜　　　　　戌日耀吉瑞
莺歌娱乐春　　　　　狗年臻福祥

犬护平安夜　　　　　戌刻花灯亮
鸡鸣盛世春　　　　　狗年喜气盈
　　　　（许乃祥）

犬护祥和宅　　　　　岁稔鸡豚足
人过幸福年　　　　　家康犬马肥
　　　　　　　　　　　　　（胡之锦）

犬献梅花赋　　　　　红梅扬正气
鸡留竹叶图　　　　　黄耳报佳音
　　　　　　　　　　（张绍成　张弛）

犬献梅花赋　　　　　红梅扬正气
鸡留竹叶诗　　　　　黄狗报佳音

户展新春景　　　　　花犬观鱼乐
家传义犬图　　　　　青云羡鸟飞

旧岁随鸡去　　　　　花灯悬街市
新春伴犬来　　　　　玉犬守门庭
　　　　（赖福银）

司晨鸡有德　　　　　杏艳春方艳
守夜犬精灵　　　　　犬安世自安
　　　　　　　　　　　　　（童双清）

鸡去千家富
犬回四海春

鸡鸣辞旧岁
犬吠接新年

（俞乐齐）

鸡年财运旺
犬岁谷粮多

鸡携竹叶去
犬踏梅香来

鸡年驱腐败
犬岁倡清廉

鸡舞三多日
犬迎五福春

（张名焕）

鸡鸣开泰运
犬吠迎新春

鸡舞司晨早
犬蹲守夜勤

（周明荣）

鸡鸣尧舜日
犬睡太平年

国家兴大业
鸡犬报佳音

鸡鸣迎日出
犬舞报春来

国期长治世
犬守久安家

（贾树桂）

鸡鸣迎旭日
犬吠到佳宾

金鸡才唱晓
玉犬又乘春

（曹安道）

（熊训模）

鸡鸣知日上
犬吠报春来

金鸡才唱瑞
玉犬又呈祥

鸡鸣家发展
狗吠世和平

金鸡传捷报
玉犬贺新春

（尉金魁）

金鸡交好卷　　　　金鸡辞旧岁
玉犬送佳音　　　　瑞犬贺新春

金鸡争报晓　　　　金鸡辞禹甸
玉犬喜迎春　　　　玉犬乐尧天

金鸡报捷去　　　　金鸡歌幸福
锦犬送春来　　　　玉犬报平安

金鸡迎旭日　　　　金鸡歌国泰
义犬沐春风　　　　义犬报民安
　　（戴光宗）

金鸡鸣富贵　　　　金鸡歌晓旦
玉犬保平安　　　　玉狗问平安

金鸡鸣盛世　　　　金鸡操胜券
黄犬护丰年　　　　玉犬报佳音
　　（王　宏）

金鸡追竹叶　　　　春光明盛世
黄犬踏梅花　　　　玉犬贺新年

金鸡啼晓去　　　　春来燕子舞
玉犬报春来　　　　犬献雪梅图
　　（马　冰）

金鸡辞旧岁　　　　春好莺多啭
灵犬接新春　　　　乡宁犬不惊

　　　　　　　　　　（方在华）

春眠强国梦
犬护富民家

春晓金鸡唱
岁宁黄犬勤

莺歌杨柳岸
犬吠杏花村
　　　　（周玉珊）

黄犬观鱼跃
青云看鸟飞
　　　　（郭保中）

鹿衔长寿草
犬踏报春花

福同金犬至
春随紫燕归
　　　　（赖福银）

德禽争献瑞
忠犬喜迎春

德禽争献瑞
黄耳竞迎春
　　　　（张家安）

德禽鸣福寿
义犬保平安

燕剪三春柳
犬迎万户春
　　　　（邹宗德）

燕剪千丛锦
犬迎万户春

犬吠佞人丧胆
鸡鸣大地生辉

犬吠佞人丧胆
鸡鸣玉宇生辉

犬吠神州放彩
鸡鸣玉宇生辉

尤喜金鸡报晓
更欣玉犬携春
　　　　（郭保中）

日暖山清水秀
犬欢燕舞新春
　　　　（郭保中）

玉犬一声世瑞
金鸡两遍春新
　　　　（郭保中）

报喜金鸡尤健
兆祥玉犬颇欢
　　　　（郭保中）

鸡去年丰人寿
犬来国治民安
　　　　　（黄祖光）

义犬司年驱腐恶
德禽辞岁颂清廉
　　　　　（熊尚鸿）

鸡送千年旧俗
犬迎九域新天
　　　　　（陈少昌）

义犬护财坚守夜
流莺织锦乐描春
　　　　　（徐鼎家）

金鸡振翅劲舞
银犬引吭高歌

子夜钟声扬吉庆
狗年爆竹报平安

鸡岁已临华夏
犬年大展雄姿

丰年富足人欢笑
盛世平安犬不惊

一门狗护春无恙
四季人勤庆有余

丰年富足鸡欢唱
盛世平安犬不惊
　　　　　（宋贞汉）

一代风流舞狮夜
万千气象入狗年

天狗下凡春及第
财神驻足喜盈门

人富犬宁安且吉
国强家富乐而康

无限尽忠安百户
一生受宠乐千家
　　　　　（王　峰）

九州日月开春景
四海笙歌颂狗年

五德灵鸡辞旧岁
三更义犬护新春
　　　　　（李德芬）

三多竹叶雄鸡画
五福梅花义犬描

犬印梅花呈五福
鸡书竹叶贺三多

犬岁临门鸡报喜
民心向善志凌云

犬守门庭何叫苦
马驰远路不辞难

犬守丰年家家富
鸡鸣盛世处处春

犬守夜任劳任怨
鸡司晨准点准时

犬守家门门有喜
毫敷毛笔笔生花

犬护一门欣无恙
人勤四季庆盈余

（郭保中）

犬吠鸡鸣春灿灿
莺歌燕舞日瞳瞳

犬吠鸡鸣春灿烂
莺歌燕舞景妖娆

犬画红梅臻五福
鸡啼翠竹报三多

犬画红梅臻五福
鸡题翠竹报三多

犬画梅花添富贵
鸡书竹叶报平安

犬卧宅阶知地暖
鹊登梅萼报春新

犬卧阶前知地暖
鹊登梅上唱春明

犬卧阶眠知地润
鸟临窗语报天辉

犬看门户民长泰
法治国家世永春

（郭保中）

犬效丰年千里富
鸡鸣盛世万家春

犬效丰年家家富
鸡鸣盛世处处春

犬能守夜户常泰
人若忘恩天不容

犬能守夜迎新岁
鸡可司晨送旧年

方观竹叶舒鸡爪
又赏梅花印犬蹄

犬踏霜桥迎五福
鸡登雪石报三多

玉犬一声惊世瑞
金鸡两遍焕春新

（郭保中）

友邻共处贵和好
鸡犬相闻尚往来

玉犬迎春期国泰
红梅斗雪兆年丰

（彭秀奎）

（张耕余）

日新月异鸡报晓
岁吉年祥狗看门

玉犬闹春春烂漫
金鸡报喜喜连绵

日新月异雄鸡去
国泰民安玉犬来

玉犬看门遵古训
金鸡报喜送新声

（张中靖）

月异日新鸡报晓
年祥岁吉犬看门

玉犬喧嚣宾客至
金鸡呼唤艳阳升

（朱云安）

月明松下房栊静
日照云中鸡犬喧

龙翔华夏迎新岁
气搏云天奋犬年

月明柳下虫鱼静
日照人间鸡犬喧

四季平安黄犬誉
九州锦绣玉龙飞

风流一代玩狮夜
气象千端入犬年

戌犬腾欢迎胜利
酉鸡起舞庆荣归

戌岁兆丰千囤满
狗年祝福四时安

戌岁兆丰百事顺
狗年祝福四时宁

戌岁兆丰万事顺
狗年祝福五谷香

戌年祝福万家顺
狗岁兆丰五谷香

戌时火树银花夜
狗岁丰衣足食家

当于鸡鸣常起舞
莫为狗苟总偷安

年逢大有牛羊壮
国步小康鸡犬宁
　　（炉　火　吕美娥）

竹叶鸡痕留雪地
梅花犬迹过霜桥
　　　　（夏文兰）

壮志成才鸡变凤
雄心创业犬成龙
　　　　（万中伟）

兴邦当立鲲鹏志
报国应效犬马劳

江山稳固民康乐
鸡犬安宁世太平
　　　　（毛国迁）

守夜卧阶怀义勇
司门护院保平安
　　　　（杨　威）

两行竹叶金鸡去
一路梅花玉犬来
　　　　（张中靖）

报晓司晨辞旧岁
尽忠守夜接新班
　　　　（李文博）

报喜金鸡尤健壮
兆祥玉犬更欢欣
　　　　（郭保中）

改革不忘鲲鹏志
创新当效犬马劳
　　　　（王满夷）

鸡上层楼瞻紫气
犬来胜地采春光
　　　　（贺考祥）

鸡犬相闻民乐业
雪梅互映岁迎春
　　　　（涂祥生）

鸡仁犬义人康泰
雨顺风调岁稔丰

鸡岁已添千里喜
狗年更上一层楼

鸡为岁归留竹叶
犬因春到献梅花

鸡岁已登万仞塔
犬年更上一层楼

（刘小天）

鸡书竹叶平安福
犬画梅花锦绣春

鸡年利事家家乐
犬岁发财户户欢

鸡书竹字添新喜
犬踏梅花报早春

鸡年祝福无饥感
狗岁吟春不苟同

鸡去犬来交旧岁
莺歌燕舞贺新春

鸡年高奏丰碑曲
犬岁再弹胜利弦

（郭保中）

（张银河）

鸡去犬来招瑞气
舞龙腾凤起春风

鸡行竹叶平安画
犬走梅花富贵图

（赵鸿恩）

（韩崇文）

鸡去瑶池传喜讯
犬来大地报春音

鸡声笛韵祥云灿
犬迹梅花瑞雪飞

鸡因富裕纵情唱
犬为平安放胆眠

鸡报三多留竹叶
犬至五福踏梅花

（宋贞汉）

鸡因粮足开心去
犬为年新迈步来

鸡鸣天上登仙境
犬吠云中入宝山

（方文卓）

鸡鸣天上登仙境
犬入云中唤宝山

鸡描竹叶傲霜翠
犬绘梅花踏雪红
（唐锦庄）

鸡鸣犬吠千山绿
日丽风和万木春
（何永忠）

鸡辞旧岁千峰秀
犬吠新春九野娇
（陈迁富）

鸡鸣岁尾千家乐
犬吠年头万户安
（杨文涉）

鸡辞旧岁民康泰
犬守新春国富强

鸡鸣金曲歌盛世
犬献梅花贺新春
（章万福）

鸡踏霜园三竹叶
犬行雪地五梅花
（苏自宽）

鸡鸣晓日江山丽
犬吠神州岁月新

奋发仍需鸡报晓
平安何用犬防宵

鸡鸣喜报丰收果
犬吠欣迎富贵宾

国富民强开盛世
鸡鸣犬吠闹新春

鸡追日月雄风舞
狗跃山河瑞气生

国富民强缘改革
鸡鸣犬吠报升平

鸡铃竹叶和谐印
犬绘梅花富裕图
（郭殿崇）

忠义一生鸣喜乐
功勋无量卫平安
（王兴平）

鸡留吉庆有余日
犬守平安无事门
（赵　根）

金犬传祥春烂漫
红梅献瑞景芳菲
（赖福银）

金犬尽职九州福　　　　　金鸡报晓迎春至
红梅献瑞四海春　　　　　黄犬守更接福来
　　　　　　　　　　　　　　　　（胡　寅）

金鸡一唱传佳讯　　　　　金鸡报晓知春早
玉犬三呼报福音　　　　　玉犬驱邪守岁勤
　　　　　　　　　　　　　　　　（王占裕）

金鸡早报千门福　　　　　金鸡报晓宜耕早
黄耳频传万户春　　　　　玉犬巡更可睡安
　　　　　（郭克昌）　　　　　　（吴雪楠）

金鸡有信鸣新日　　　　　金鸡报晓载歌去
玉犬无私守旧家　　　　　玉犬值年接福来
　　　　　　　　　　　　　　　　（秦三沐）

金鸡欢唱凯歌去　　　　　金鸡报晓乾坤晓
神犬喜迎富岁来　　　　　玉犬闹春宇宙春
　　　　　（谷长任）

金鸡报晓九州泰　　　　　金鸡报捷梅花俏
神犬护门百姓安　　　　　义犬迎春柳色新

金鸡报晓千村秀　　　　　金鸡报晓催勤奋
神犬守门万户安　　　　　灵犬护家保福音
　　　　　（韦孟记）

金鸡报晓千家早　　　　　金鸡报捷金瓯固
玉犬巡更万户安　　　　　玉犬闹春玉宇新
　　　　　（梁国栋）　　　　　　（凌一二）

金鸡报晓宁无意　　　　　金鸡报捷梅花俏
玉犬守门原有心　　　　　玉犬迎春柳色新

金鸡昨日唱吉庆
玉犬今年守瑞祥
　　　　　（周　林）
金鸡送旧歌兴旺
爱犬迎新报太平
　　　　　（王联盟）
金鸡唤出扶桑日
锦犬迎来大地春

金鸡高唱千山秀
玉犬奔驰两岸春
　　　　　（张养浩）
金鸡唱出小康路
玉犬迎来大有年
　　　　　（尉金魁）
金鸡唱光明世界
玉犬迎锦绣前程
　　　　　（严金海）
金鸡唱晓和谐曲
灵犬迎春欢乐年
　　　　　（张桂守）
金鸡喜唱和谐曲
玉犬欣迎富贵春
　　　　　（毛银河）
金鸡献瑞晴空灿
玉犬迎祥古国春
　　　　　（陈迁富）

金鸡辞岁添祥瑞
玉犬护门乐太平
　　　　　（平立滨）
狗为宠物成时尚
鹊报福音过大年

狗来富裕猫来贵
鹤舞寿松燕舞春

狗护一门喜无恙
人勤四季庆有余

狗看门户喜无恙
人积粮棉岁有余

春风六九观狮舞
气象万千乐狗年

春光明媚燕莺舞
社会文明鸡犬宁

春潮漫卷盈福气
犬吠不惊享太平
　　　　　（吴岱宝）
柳浪闻莺千里秀
春台卧犬万家安

神犬仰天迎旭日
雄鸡昂首唱丰年

神犬看门门户泰
洪钟警世世风清

盈门报喜春花放
满院生辉玉犬来
　　　　　（郭保中）

除夕金鸡留吉庆
迎春玉犬护平安
　　　　　（王兴志）

笑迎玉犬衔春至
欢送金鸡载誉归
　　　　　（张家安）

黄耳静听人步泰
福音频送院逢春
　　　　　（赵　根）

晨钟鸡号昭曙色
雪地犬蹄落梅花
　　　　　（黄叶秋）

喜引春风拂绿柳
笑迎玉犬送金鸡

喜看春风拂绿柳
欣迎玉犬送金鸡
　　　　　（沙俊清）

雄犬偏能欺得虎
黄沙自可变成金

雄鸡一唱天下白
锦犬再雕宇宙春

雄鸡司号催人奋
灵犬吠更唤众防
　　　　　（韦玉堂）

雄鸡高唱九州泰
金犬狂欢四海安
　　　　　（张　梧）

雄鸡唱罢九州乐
金犬吠来四海安

雄鸡唱遍千山秀
灵犬迎来万户春
　　　　　（薛永祥）

雄鸡辞岁歌康泰
黄耳迎春报吉祥
　　　　　（赵义柏）

疏柳莺啼千谷静
新春犬卧万家安

瑞雪纷纷丰谷景
犬蹄朵朵报春花
　　　　　（郭保中）

瑞雪飘飘歌润泽　　　新年伊始山川秀
忠心耿耿负驰驱　　　玉犬初临日月长

瑞雪翩翩丰收景　　　新春玉犬门前卧
犬蹄朵朵报春花　　　华夏金龙天外飞

瑞雪翩翩兆稔景　　　满门结彩春花放
犬蹄朵朵报春花　　　举世澄明玉犬来

锦鸡报捷摇金步　　　德禽唱出吉祥曲
黄犬迎春跃玉阶　　　义犬含来幸福花
　　　　（熊尚鸿）　　　　　（刘逸城）

锦鸡焕彩三春丽　　　鹤鸣松柏人丁旺
神犬临门百姓安　　　犬守门庭社稷安

辞旧灵鸡歌日丽　　　警犬扬威镇腐恶
迎新瑞犬报年丰　　　神龙得志叱风云
　　　　（黎凌云）

辞岁金鸡张彩翼　　　警犬擒凶功可誉
迎新玉犬引春风　　　群龙除孽世能昌
　　　　（曹毅前）

稔岁金鸡舒健羽　　　警犬擒凶臻大治
新春义犬守康门　　　神龙强国起宏图
　　　　（唐家良）

鼠因仓固潜踪去　　　四海升平花荫卧犬
犬为世宁放胆眠　　　五湖秀丽柳岸闻莺
　　　　　　　　　　　　　　（张维成）

迎新春应赞猪为宝
辞旧岁莫忘犬看家

金鸡献宝生财聚福
玉犬迎春乐业安居

晨鸡尽责司晨不怠
夜犬警心守夜唯勤
（贺泽海）

锦鸡焕彩花开富贵
瑞犬临门人享太平
（裴鸣若）

去岁鸡司晨风调雨顺
今年犬守夜国泰民安

竹叶两三枝金鸡辞岁
梅花四五朵玉犬迎春
（许乃祥）

金鸡报好音人人获福
玉犬迎新岁户户生财

金鸡报好音家家幸福
玉犬迎新岁户户安康

犬守夜鸡司晨小康在望
国太平民安乐大富将临
（邹宗德）

犬守夜鸡司晨小康在望
国太平民幸福大富有余

除旧鸡鸣唱出光明盛世
迎新犬吠传来改革佳音

义犬三声咬断穷根奔富路
雄鸡一唱啼消寒夜浴春光
（黄幼林）

东君施法欣然护送三冬雪
义犬踏梅愉悦迎归二月春
（李文君）

竹叶题春神鸡谢幕三多赋
梅花报晓天狗登场五福图
（谢孝宠）

自古当班于己任全心全意
与人为伴凭本能护院护家
（张杰安）

改革可兴邦蜀犬何须吠日
开放非媚外杞人焉再忧天

鸡司晨阳光灿烂前程似锦
犬守夜岁月峥嵘美景如春

鸡唱月归一线长天皆瑞霭
犬歌日出九州大地尽朝晖

国泰民安鸡鸣天下和谐曲
龙飞凤舞犬跃神州锦绣程
　　　　　　（谢孝宽）

玉犬送金鸡竹叶梅花同媲美
红联召紫燕佳音捷报共迎春
　　　　　　（孙德孚）

金鸡辞旧万里江山皆锦绣
玉犬迎新九州人物更风流
　　　　　　（周维卿）

金鸡晓世缘恋恋浓情辞旧岁
灵犬通人性殷殷美意报新春
　　　　　　（武德光）

勇士登天鸡鸣岁尾九霄庆
鸿猷兴国犬吠年头四海欢
　　　　　　（谢孝宽）

神犬续天鸡九州吟雪尤吟岁
新春临大节万众拜年不拜金
　　　　　　（石　华）

玉犬迓新春雪映梅花欣朵朵
金鸡辞旧岁霜留竹叶喜行行
　　　　　　（张安民）

腊酒谢金鸡唱遍神州歌大有
春风催吉犬迈开健步跃高峰

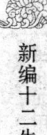

金鸡报晓闻鸡起舞金鸡歌国泰
神犬驱腐放犬缉私义犬报民安

金鸡交好卷犬吠佞人丧胆舜犬重临华夏
黄犬送佳音鸡鸣玉宇生辉新年大展雄姿

红鸡啼夜晓金鸡报晓歌大治金鸡唤出扶桑日
黄犬吠年丰丹凤朝阳赞中兴锦犬迎来大地春

鸡为岁归留竹叶腊酒谢金鸡唱遍神州歌大有
犬因春到献梅花春风催吉犬迈开健步跃高峰

金鸡献瑞钦大治犬效丰年家家富鸡岁已添几多喜
玉犬呈祥展鸿猷鸡鸣盛世处处春犬年更上一层楼

龙翔华夏迎新岁鸡声笛韵祥云灿鸡去瑶池传喜讯
气搏云天奋犬年犬迹梅花瑞雪飞犬来大地报春声

犬吠鸡鸣春灿灿金鸡报捷梅花俏国富民强缘改革
莺歌燕舞日瞳瞳义犬迎春柳色新鸡鸣犬吠报升平

鸡年利事家家乐戌犬腾欢迎胜利犬画红梅臻五福
犬岁发财户户欢酉鸡起舞庆荣归鸡题翠竹报三多

鸡鸣晓日江山丽两岸金鸡歌一统犬能守夜迎新岁
犬吠神州岁月新九州赤子报三春鸡可司晨送旧年

辞旧灵鸡歌日丽鸡追日月雄风舞当于鸡鸣常起舞
迎新瑞犬报年丰狗跃山河瑞气生莫为狗苟总偷生

亥　猪

猪的象征意义

在人们的心目中,猪恐怕是最老实的家畜,它不像狗那样精灵,懂得主子的心思,跟随主人前后,极尽讨好之能事。猪长着一副圆乎乎、胖墩墩的憨厚相,饿了就吃,吃了就睡,显得老实本分。猪的懒惰在动物界是出了名的,猪之所以在所有家畜中是长得最快的一种,重要的原因就是活动少。除进食的过程中活动活动外,猪难得做什么运动,更不用说操心劳累了。猪的肮脏也是尽人皆知的,虽然它不讲卫生有着客观上的原因,但它一辈子几乎都在一间栏里吃、住、拉、撒,满身黏着屎尿,给人恶心的感觉。由于猪的上述一些特点,它往往成为蠢笨、懒惰、贪婪、丑陋的代名词。在人类的文化生活中,一提到猪,常常带有深厚的贬义色彩。

猪又含有轻蔑之意。著名的电影剧作家夏衍在报告文学作品《包身工》中写道,工头对包身工的称呼一律是"猪猡"二字,显示出他们对包身工的歧视和人格侮辱。明末清初,大批中国人被卖到国外做苦力,这些海外华工被称为"猪仔"。

那么,猪的文化象征意义是否全部为贬义,只能讥刺人类的缺点呢? 答案当然是否定的。猪被用于贬义,完全是出于人们对它

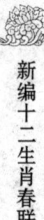

表面上的观察。例如说猪肮脏，主要是它忌热的原因，据专家研究，在48℃以下时，圈内的猪通常老实地待在自己的地方。一旦温度升到48℃以上，它们便会在自己的圈内胡来蛮干了。于是乎，温度越高，它们就会变得越发肮脏。因此我们应该认识到，那种以为猪是肮脏牲畜的观念，主要是指其外表而言，而猪的本性并非真的就肮脏不堪。现代著名的人类学家弗雷泽认为："像所有的所谓肮脏的动物一样，猪最初被视为神圣之兽。"

上古的时候，猪的文化意义根本就不含任何贬义，相反，猪是衡量勇敢的尺码。不但"家"的含意是在房屋内养猪，就连当时的社会活动，也以与猪有关的事为中心。如"敢"字，有徒手捉猪以示勇敢之意，那么不能捉猪便被视为怯懦。家猪是显得那么温顺老实，那是因为长期被人类驯养，与大自然隔离而丧失了其本性；而野猪性情凶暴，善于搏击，于是基于这一特点，猪便含有"勇往直前"的意思。

野猪具有如此的神勇，所以"猪"这个名词在日本常用作人的名字，日本人用"猪"给幼儿命名，并非为了好养活，才取个俗贱的名字，而是欣赏猪的奋勇向前，有进无退的精神。欧洲人也有类似的认识。他们认为野猪虽然没有角，却是兽类中最凶悍的动物。它的獠牙尖锐而强硬，可以轻易刺伤敌人；它经常在树干上摩擦肩部下胁，使之成为坚强的盾甲。因此欧洲的许多纹章以猪为图案，表示猛勇和万夫莫敌。例如英格兰王查理三世的徽章是两头猪拱卫着盾牌；苏格兰亚盖公爵的徽章上，猪头像置于图案上方，显示了猪的尊严。

作为家猪，它又是那样憨厚老实，安分守己，从不去加害于任何人，并为人们带来经济上的富足，成为农民百姓的"聚宝盆"。它全身的每一个器官，从头到尾，都是人们百吃不厌的美食。因此在中国文化中,猪还有其他的许多寓意和象征。

据古籍记载,唐代的新科进士在曲江会宴后,常题名于慈恩寺大雁塔,同年中推举一位善书者纪之。题名用"朱书",因"猪"与"朱"同音,"蹄"与"题"同音,所以猪成了青年学子金榜题名的吉祥物。每当有人赶考,亲友们都赠送红烧猪蹄,预祝赶考人"朱笔题名"。后来,这种习惯逐渐扩大,人们在新年时互赠火腿,因为火腿是用猪蹄烤制而成的。民间还认为"肥猪拱门"吉祥,肥猪俨然成为一个传送福气的使者。所以有俗语说:"猪是家中宝,粪是地里金。"

总而言之,在我们的生活中,猪一方面代表着愚笨、懒惰、贪吃、好色、肮脏,但另一方面又象征着勇敢、厚道、忠诚、谨慎、诚实。自然学家赫森说:"猪不像马、牛、绵羊那样疑心重重,畏缩顺从;不像山羊那样鲁莽,天不怕地不怕;不像鹅那样满怀敌意;不像猫那样屈尊俯就;也不像狗那样摇尾乞怜。"

每逢农历的乙亥、丁亥、己亥、辛亥、癸亥年,都是猪年。

猪年春联

有家有豕　　　　　　　一年春作首
无豕无家　　　　　　　六畜猪为先
　　　（张天相）

年安日好　　　　　　　人开致富路
豕硕田丰　　　　　　　猪拱发财门
　　　（王　潜）

花开富贵　　　　　　　义犬守门户
猪报平安　　　　　　　良豕报岁华
　　　（郭保中）

义犬声将远
财猪膘正肥
　　　　（赵健之）

天狗归仙界
亥猪拱福门

天狗驱寒尽
宝猪带暖春

六畜猪为宝
四时春占先

六畜猪为宝
四时春最新

六畜猪为首
一年春领先

犬年留硕果
猪岁谱新篇
　　　　（何国平）

犬守太平夜
猪传富庶年
　　　　（刘方翔）

犬好家安乐
猪肥地丰收
　　　　（王　潜）

犬吠辞年去
猪哼接岁来
　　　　（俞乐斋）

犬驱灾害去
猪唤吉祥来
　　　　（彭本良）

犬警世风泰
豚肥家业昌
　　　　（胡之锦）

玉犬登仙境
银豚入画图
　　　　（门　奎）

生财猪拱户
致富燕迎春

戌狗开财路
亥猪拱富门
　　　　（管殿生）

亥来四季美
猪献满身肥

亥时春入户
猪岁喜盈门

守家劳玉狗
致富有金猪

守家夸玉犬
致富赞金猪

春暖百花艳
猪肥五谷丰

（李轩才）

农户百猪壮
神州万象新

春新猪似象
世盛国腾龙

阳春臻六顺
猪岁报三多

虽属生肖后
却居六畜先

财神随岁至
豕崽拱门来

养猪能致富
有志莫忧贫

狗守太平岁
猪牵富裕年

养猪能致富
蓄志不忧贫

肥豚宜美馔
瑞雪兆丰年

养猪能致富
放鹤可延年

（杨富森）

春丽花如锦
猪肥粮似山

养猪勤致富
跃马笑迎春

春和猪似象
家睦子成龙

炮鸣春入户
猪壮福盈门

（王　峰）

看猪大似象
视漏贵如金

猪大能如象
肥多可胜金

猪为六畜首
农乃百业基

猪拱门如意
鸡鸣岁吉祥

猪为六畜首
梅占百花魁

猪拱财源旺
龙腾国运昌

猪年春意闹
龙舞国威扬

猪是农家宝
龙为中国根

猪肥鱼米足
风正国家兴

猪是农家宝
粪为田里金

（杨　秋）

（张　梧）

猪肥家业旺
春好寿天长

猪是家中宝
肥是地里金

（郭保中）

猪肥家业旺
春好福源长

猪崽一窝乐
山花四季香

猪肥家业盛
人好寿春长

盛世何须犬
丰年大养猪

猪肥家富庶
业旺福绵长

紫燕迎春到
金猪献宝来

（杨　秋）

猪肥粮茂盛
民富国昌隆

爆竹传吉语
腊梅报新春

乙鸟轻翔柳陌
亥珠喜耀春晖
　　　　（曹毅前）

狗守家门无患
猪增财富有余

犬静民安国泰
猪肥人寿年丰
　　　　（尉金魁）

戌狗门前守岁
亥猪厨下迎春
　　　　（张中靖）

欢送神州狗岁
喜迎盛世猪年
　　　　（郭保中）

送犬年传喜讯
迎猪岁再丰收
　　　　（郭保中）

春早人勤地壮
猪多肥足粮丰
　　　　（童双清）

春来德茂福盛
岁更粮多猪肥

喜气洋洋送犬
生机勃勃迎猪
　　　　（郭保中）

八戒司年同致富
三春献瑞共呈祥
　　　　（丁翕云）

八面飞歌传喜报
一身是宝拱福门
　　　　（吴岱宝）

人逢盛世情无限
猪拱华门岁有余

人增福寿年增岁
鱼满池塘猪满栏

天好地好春更好
猪多粮多福愈多

丰稔岁中猪领赏
新台阶上步登高

五粮稻是国家宝
六畜猪为农户财

犬为世宁眠永夜
猪因人重福长存

犬行雪径梅花瘦
猪莅沃田稻叶肥
　　　　（程　耀）

犬守戌年威似虎
猪逢亥岁壮如牛
　　　　　（华雅大）

玉犬催春梅早放
金猪贺岁柳先舒
　　　　　（杨　秋）

犬过千秋留胜迹
猪肥万户示丰年

巧剪窗花猪拱户
妙裁锦绣燕迎春

犬岁已赢十段锦
猪年再上一层楼

吉日生财猪拱户
新春纳福鹊登梅

犬岁安康千里秀
猪年福寿万家新
　　　　　（涂家祥）

地好天娇春更妙
猪多谷裕寿真长
　　　　　（郭保中）

犬岁欢歌新大地
猪年美景古神州

戌岁已添新气象
亥年更作大文章
　　　　　（平立滨）

犬咬贪官追盗去
猪临富户送春来

戌岁乘龙立宏志
猪肥万户示丰年

犬撒梅花留五福
豕摇兰草报三春
　　　　　（刘明魁）

戌岁乘龙抒大志
亥年跃马绘宏图

牛马成群勤致富
猪羊满圈乐生财

名题雁塔登金榜
猪拱华门报吉祥

玉犬交班留胜迹
金猪值岁展宏图

花香鸟语三春好
牛壮猪肥五谷丰
　　　　　（汪言中）

花香鸟语春无限
沃土肥田猪有功

花俏人欢逢盛世
猪肥穗壮庆丰年
　　　　（李文锦）

时势安定蔚景象
猪年如意获丰收

利民富国一身宝
足食丰衣四季财
　　　　（王定清）

灵犬建功留福去
憨猪献宝送春来

灵犬乘风传捷报
神猪舞雪乐新春
　　　　（谷长任）

国泰无需犬守夜
家兴必要猪生财

国泰业兴开富路
人勤猪壮涌财源
　　　　（赵义柏）

金榜题名光耀第
喜猪拱户院生财

狗去猪来辞旧岁
龙飞凤舞庆新春
　　　　（郭保中）

狗岁已乘千里马
猪年更上一层楼

狗岁已赢十段锦
猪年更上一层楼

狗岁升平臻大治
猪年盛泰壮新猷
　　　　（李求真）

狗岁早辉千里锦
猪年更上一层楼

狗年已展十分锦
猪岁再登百步楼

狗年已展千重锦
猪岁再登百步楼

狗年已赢十分好
猪岁再登一层楼
　　　　（郭保中）

狗年引导小康路
猪岁迎来锦绣春

狗守家门旧主喜
猪增财富新春欢

狗问平安随腊去
猪生财富报春来

狗蹲房外家长泰
猪拱门前户发财

孟春之月方营室
宝盖进豕恰是家

肥肉一身堪入市
钉耙九齿好犁田

肥猪拱户门庭富
紫燕报春岁月新

春色随心描旧景
亥猪送狗贺新年

春到江南山水秀
歌来塞北猪羊肥
　　　　　　（胡贵平）

春盈明媚康庄道
猪富和谐勤俭家
　　　　　　（王兴平）

科技财神尊上座
吉祥猪崽报新春

送犬年频传喜信
迎猪岁再获丰收
　　　　　　（郭保中）

恰逢盛世猪如象
喜庆新春鱼化龙

神犬守门门户旺
金猪送福福音多
　　　　　　（凌一二）

神犬巡天行万里
金猪献宝拱千门

原驰蜡象长城雪
户养肥猪大地春

原驰蜡象长城雪
家养肥猪盛世春

骏犬辞年报捷去
肥猪载喜伴春来
　　　　　　（许　铎）

硕鼠悠悠眠洞里
肥猪静静拱门来

彩笔书春载盛绩 猪是财神登万户
银豚值岁启新程 燕为春使舞千家
　　　　（莫　克）

猪大肥多千户喜 猪增财富新春喜
鼠除害少九州欢 燕舞祥和旧主欢

猪子一身皆是宝 景丽承平开泰运
亥年万事俱呈金 猪肥适意获丰财
　　　　　　　　　　（郭保中）

猪多粮足千家富 景象升平开泰运
国盛兵强百族欢 金猪如意获丰财
　　　　（梁采邦）

猪多粮足农家乐 窗花剪猪招财富
子孝孙贤福寿多 壁上画虎镇鬼神

猪多粮足农家富 瑞雪纷飞清玉宇
子孝孙贤亲寿高 花猪起舞贺新年

猪壮苗肥民富裕 腾龙快马逢新世
财丰物阜国亨昌 送犬迎猪贺大年
　　　　（闻楚卿）

猪壮肥多粮食足 燕衔喜信春光好
雪消梅笑竹松青 猪拱财门幸福长
　　　　（徐引生）

猪拱家门春贴画 爆竹升天送犬日
鹿衔寿草福临门 春花匝地迎猪年

爆竹升天送狗岁
春花遍地缀猪年

骏马金鞍跨上康庄路
肥猪元宝迎来大有年

迎新春应赞猪为宝
辞旧岁莫忘犬看家

海角天涯九域风和日丽
关中边塞万家马壮猪肥
（李俊华）

金犬把门民安国泰
银豚满圈财旺粮丰
（吴文生）

六畜为先大吉大利家家养
一年当首多宝多财岁岁新
（杨　威）

赖犬而财赖猪而富
得时因雨得意因风
（赵健之）

兴业无私百卉迎春兴骏业
发财有道万猪贺岁发鸿财

昨夕犬年欢歌盈大地
今朝猪岁新景满神州

猪富民生助国强扬声四海
肉连商贾融外客载誉九州
（张杰安）

盛世脱贫易俗移风唱咏千年呈福寿
肥猪致富丰衣足食歌吟万代赞和谐
（李文君）

猪为六畜首犬过千秋留胜迹戌岁乘龙立宏志
农乃百业基猪肥万户示丰年亥年跃马奔小康

猪多粮足农家富迎新春应赞猪为宝昨夕犬年欢歌盈大地
子孝孙贤亲寿高辞旧岁莫忘犬看家今朝猪岁新景满神州

附录一

干支春联选

甲 子

甲兵不用　　　　　　甲子开元同大庆
子孙大宜　　　　　　东风化雨共长春
　　　　　　　　　　　　　　（草　野）

甲年人寿　　　　　　甲岁连云欣发展
子岁年丰　　　　　　子年遍地庆丰收
　　　　（郭保中）　　　　　（郭保中）

甲第宏敞　　　　　　甲浮杨柳春光暖
子孙繁昌　　　　　　子结梅花岁序新

岁新绵甲子　　　　　甲排松树龙吟月
德厚富春秋　　　　　子寄梅花鹤抱春
　　　　　　　　　　　　　　（杨翰芳）

甲乙科名佳话在　　　甲第连云欣发展
子孙孝友古风存　　　子年遍地祝丰收

甲第连云欣富裕　　　　　　春风又绿江南岸
子年遍地庆和谐　　　　　　好雨复滋甲子年

兆甲岁春光曙色　　　　　　甲第毗连风清里巷
庆子年松韵清流　　　　　　子孙蔚起泽衍箕裘

乙　丑

乙年水秀　　　　　　　　　乙藜广照夜
丑岁山清　　　　　　　　　丑腊暖春归
　　　　　　（郭保中）　　　　　　　　（郭保中）

乙藜照夜　　　　　　　　　乙木逢春枝叶茂
丑腊回春　　　　　　　　　丑牛得草体膘肥
　　　　　　　　　　　　　　　　　　（郭保中）

乙木逢春秀　　　　　　　　乙丝抽拔才无尽
丑牛得草肥　　　　　　　　丑律循环岁不穷
　　　　　　（郭保中）

乙朗芳草地　　　　　　　　乙藜朗照芳草地
丑待吉祥年　　　　　　　　丑座欢呼大有年
　　　　　　　　　　　　　　　　　　（郭保中）

乙燃书校汉　　　　　　　　乙鸟呈祥欣逢盛世
丑建岁从商　　　　　　　　丑牛启春预祝丰年

丙　寅

丙年鸟语
寅岁花香

丙穴鱼游春献瑞
寅阶虎拜乐扬麻
（郭保中）

丙年春日秀
寅岁和风柔

丙鼎焚香腾瑞气
寅宾出日应春风

丙昭离象日
寅建夏春时

丙穴鱼生人间改岁
寅方斗指天下皆春

丙辉壮离象
寅畏挹廉怀

丙魏有声汉书作赞
寅恭同协虞氏成谟
（杨翰芳）

丙部琳琅春馥郁
寅宾璀璨日光华

丙曜照临春台日暖
寅宾平秩旸谷风和

丁　卯

丁逢泰运
卯集春门

丁帘延旭日
卯户启熙春

丁年占大有
卯酒饮同人

丁桥春水溢
卯户柳荫浓
（郭保中）

丁字沽头春水暖　　　　　添丁名入酬公句
卯门桥畔绿荫浓　　　　　应卯书多祝老风
　　　　　　　　　　　　　　　　（杨翰芳）

丁帘卷雨饶春意　　　　　丁水溪长双流入画
卯酒盈杯祝大年　　　　　卯门春益四野催耕

丁香玉树生金色
卯兔蟾宫放银光
　　　　（郭保中）

戊　辰

戊年柳媚　　　　　　　　戊隆资万物
辰岁花娇　　　　　　　　辰瑞庆千门
　　　（郭保中）　　　　　　　　（郭保中）

春迎五戊　　　　　　　　青戊生芳草
旗焕三辰　　　　　　　　朱辰扇凯风
　　　　　　　　　　　　　　　　（杨翰芳）

戊木荣天下　　　　　　　戊运顺时能茂物
辰花艳世间　　　　　　　辰年纳福好嘉祥
　　　（郭保中）

戊茂资千里　　　　　　　戊鼎纪年千秋宝贵
辰良庆万家　　　　　　　辰旗焕彩万象包罗

己 巳

己修其德
巳位乎中

己溺己饥宏抱负
巳年巳运乐升平

己德人敬
巳道国兴
　　　　（郭保中）

戊辰载喜龙辞旧
己巳呈春蛇庆新
　　　　（郭保中）

己文黼正绣
巳日禊方修

己过喜闻仲氏所学
巳日修禊郑风有诗

己腹无私真磊落
巳年有幸自峥嵘
　　　　（郭保中）

庚 午

庚年庆集
午夜春深

庚早马驰原野阔
午中日暖柳烟浓
　　　　（郭保中）

鸰鹏春唤雨
亭午日当空

庚晨日暖长青树
午院时开次第花

东海异闻庚定子
西峰小饮午时茶
　　　　（杨翰芳）

庚晨日暖春来早
午院花香蝶舞忙

彩焕长庚明星有灿
时当卓午昼夜方中

辛　未

辛椒式颂
未艾方兴

辛苦经营成大业
未来岁月展鹏程
　　　　　　（杨翰芳）

辛勤成大业
未来展宏图

辛苦梅花同我瘦
未知燕子为谁来

　　　　（郭保中）

辛勤能补拙
未卜已先知

辛苦经营乃成事业
未来世界愈见光明

壬　申

壬林有庆
申锡无疆

壬林曾献瑞
申浦尽迎春

壬林赐福
申甫降祥

壬人有天皆丽日
申归无地不春风
　　　　　　（郭保中）

壬入红梅上
申归绿柳前

壬林礼义金樽旧
申浦声华珠履新

　　　　（郭保中）

壬岁泛舟游赤壁　　　　壬到红梅因雪放
申江寄寓乐康衢　　　　申来黄鸟为春歌
　　　　　　　　　　　　　　（郭保中）

癸　酉

铭留癸鼎　　　　　　　癸鼎奇文能辨识
酒泛酉樽　　　　　　　酉阳杂俎广搜罗

癸尊旧酿　　　　　　　癸戴草头朝赤日
酉爱新书　　　　　　　酉添春水上朱颜
　　　　（郭保中）

癸樽留旧酿　　　　　　癸鼎奇文字留蝌蚪
酉穴有奇书　　　　　　酉山胜地书拥琳琅

癸丰新岁千家酒
酉暖阳春万树花
　　　　（郭保中）

甲　戌

甲第对宇　　　　　　　甲第朱门盛
戌秋泛舟　　　　　　　戌年大业兴

甲坼生万物　　　　　　甲睦春风暖
戌盛灿余阳　　　　　　戌和瑞雪香
　　　　　　　　　　　　　　（郭保中）

甲地风含春意暖　　　　　　甲第连云腾紫气
戌天月上海头明　　　　　　戌年泛月赏清秋
　　　　（杨翰芳）

甲岁天高飞紫燕　　　　　　甲第云连朱门焕彩
戌年地厚载阳春　　　　　　戌年月朗赤壁纪游
　　　　（郭保中）

乙　亥

乙春献瑞　　　　　　　　　乙祥长发征玄鸟
亥雪呈祥　　　　　　　　　亥算永年纪绛人
　　　　（郭保中）

乙丝文士赋　　　　　　　　乙杖生光千门庆瑞
亥算老人年　　　　　　　　亥珠溢彩万里迎春
　　　　　　　　　　　　　　　　（成国英）

乙舟莲瓣隐　　　　　　　　乙夜观书光分藜杖
亥算柏龄长　　　　　　　　亥年纪算福衍箕裘

乙梅飘瑞雪　　　　　　　　乙杖分光焕发青春争岁月
亥柳荡轻烟　　　　　　　　亥珠溢彩濡开健笔作文章
　　　　（郭保中）　　　　　　　　　　（查景韩）

乙入八方盈正气
亥归四海庆升平
　　　　（郭保中）

丙　子

丙年春满　　　　　　　丙丁烈焰开新宇
子夜灯红　　　　　　　子丑银花兆丰年

丙宫耀彩　　　　　　　丙日春明花富贵
子舍腾辉　　　　　　　子宵月朗竹平安
　　　　　　　　　　　　　　（郭保中）

丙辉瑞应　　　　　　　丙穴嘉鱼知夏令
子庶丰登　　　　　　　子规好鸟啭春声
　　　　（草　野）

春温丙岁　　　　　　　丙年有庆猪辞岁
人瑞子年　　　　　　　子夜无声鼠报春

辉煌丙火　　　　　　　丙夜未眠思国计
奋发子孙　　　　　　　子时早起迓春光

丙开多喜事　　　　　　丙辉耀福腾淑气
子举益春光　　　　　　子舍承欢聚太和
　　　　（郭保中）

丙辉腾瑞气　　　　　　丙曜照临春台迎旭
子庶乐丰年　　　　　　子行蔚起夏屋连云

丙曜临大地
子山赋小年

丁　丑

丁年励志　　　　　　　　　丁男粗绍名山业
丑腊回春　　　　　　　　　丑腊先迎隔岁春

丁年抒壮志　　　　　　　　丁水分头双溪映带
丑律占新春　　　　　　　　丑年修禊三月流觞

丁辉光盛世　　　　　　　　丁字垂帘花香春暖
丑灿耀佳春　　　　　　　　丑年修禊天朗气清
　　　（郭保中）

戊　寅

戊年志远　　　　　　　　　才喝丁丑丰收酒
寅日春长　　　　　　　　　又甩戊寅跃进鞭
　　　（郭保中）　　　　　　　　　　（郭保中）

吉日维戊　　　　　　　　　戊育群生逢夏令
太岁在寅　　　　　　　　　寅宾首序纪春时

戊茂滋千里　　　　　　　　戊社燕来春送暖
寅恭福万家　　　　　　　　寅阶虎拜乐扬庥

戊鼓喧春社
寅宾乐远游

己 卯

己文绚彩
卯酒延厘

己身当大任
卯饮乐嘉宾

己乐常足
卯饮自佳

己土逢雨润春色
卯金向阳添国光

己过必改
卯饮自佳

己背文成辉锦绣
卯门春启景繁华

己门迎晓日
卯业趁春风
　　　　（郭保中）

己意推人能近而譬
卯门启瑞得春之和

己生看美景
卯酿得醇醪
　　　　（杨翰芳）

庚 辰

庚邮报喜
辰极拱星

庚日千秋照
辰江四季春
　　　　（郭保中）

庚星高照
辰律悠扬
　　　　（郭保中）

庚经拜吉日
辰极拱群星

庚日多晴游子乐　　　　光耀东风庚星孕李
辰星长曜太平春　　　　春回南亩辰日种瓜

辛　巳

辛夷花放　　　　　　　辛夜平安开景远
巳日春游　　　　　　　巳年大吉启新程

辛夷燕舞　　　　　　　辛盘喜饮丰收酒
巳瑞莺歌　　　　　　　巳岁欣荣富贵春
　　　（郭保中）

辛盘献椒颂　　　　　　辛瑞丰年飞瑞雪
巳帖拓兰亭　　　　　　巳春好景舞春风
　　　　　　　　　　　　　　（郭保中）

辛夷木笔春花放　　　　贺岁辛金铺大地
巳芍兰亭禊事修　　　　迎春巳火耀长天
　　　　　　　　　　　　　　（黄允业）

辛夷馥丽春光媚　　　　创业艰辛不遗余力
巳岁祥和骏业兴　　　　游春上巳畅叙幽情
　　　（祖振扣）

壬　午

壬林献颂　　　　　　　壬符纳福
午院迎春　　　　　　　午祚凝庥

壬日歌诗须纵酒　　　　壬顺春风新燕语
午风延爽共披襟　　　　午祥瑞日嫩桃花
　　　　　　　　　　　　　　　（郭保中）

壬林春暖椒花颂
午院风和槐叶青

癸　未
癸樽款识　　　　　　　癸年游览群贤集
未雨绸缪　　　　　　　未雨绸缪古圣勤

甲　申
甲门瞻接近　　　　　　甲第云屯鳞比接
申戌乐还归　　　　　　申天日暇燕安居

甲春临院早　　　　　　甲第比邻于斯为盛
申福入堂先　　　　　　申公为政不在多言
　　　　　（郭保中）
甲兵奏凯天河洗
申甫降春崧岳灵

乙　酉

乙燃良夜
酉熟丰年

乙木逢春枝繁叶茂
酉山启瑞日丽风和
（董赵鹏）

乙春增秀色
酉岁益淑光

乙杖分光三更灯火
酉山探胜万卷琳琅
（郭保中）

乙思抽妙绪
酉熟庆丰年

乙木逢春福随春意泰
酉鸡报晓年共晓光新
（邹涌运）

乙舟泛水漂莲瓣
酉穴探山贮竹书

丙　戌

丙晖光普照
戌土物资生

丙穴探奇鱼游春水
戌年作赋鹤唳秋空

丙穴嘉鱼呈瑞兆
戌宫美狗卧花荫

丙曜呈文青阳春暖
戌年作赋赤壁秋高

丙曜神州欣发展
戌年大地喜丰收

丁 亥

丁生百福
亥纳千祥
　　　（郭保中）

丁岁鸡鸣千户喜
亥时花绽万家春
　　　　　（郭保中）

丁香吐艳
亥算纪年

丁岁修勤敢疏暇日
亥年纪算克享遐龄

丁年励志
亥岁纪程

壮士丁年高抟鹏翼
老人亥算长享鹤龄

戊 子

戊茂生万物
子挈启三春

戊鼎纪年商代器
子陵垂钓富春江

戊到神州灿
子来盛世辉
　　　（郭保中）

戊不衔泥燕知择日
子曾毓圣麟纪吐书

戊日东村喧社鼓
子云西蜀有园亭

己　丑

己生有福　　　　　　　　　己运亨通留玉鼠
丑运无边　　　　　　　　　丑年吉庆买金牛
　　　　（郭保中）　　　　　　　　　（陈树德）

己身如正鹄　　　　　　　　过改己身推夏禹
丑岁应春牛　　　　　　　　喜从丑角上春台

己过自称功必让　　　　　　己意推人立达皆欲
丑从商建律初回　　　　　　丑年修禊今昔同观

庚　寅

庚星耀地　　　　　　　　　庚日拜经勤学始
寅虎啸天　　　　　　　　　寅宾平秩受时新
　　　　（郭保中）

庚觚献寿　　　　　　　　　庚歌吉日中兴颂
寅饯回春　　　　　　　　　寅畏小心君子怀

庚宿长天降
寅春大地回

辛　卯

辛祈纳福　　　　　　辛夷一树花争放
卯运迎春　　　　　　卯饮三杯酒自斟

辛岁浮春色　　　　　岁荐辛盘香凝椒柏
卯年入画图　　　　　春生卯酒喜饮屠苏
　　　　（郭保中）

辛香和百合
卯酒饮三杯

壬　辰

壬林洽礼　　　　　　壬林歌诗纯煆赐尔
辰极拱星　　　　　　辰枢居所众星拱之

壬符佩六道　　　　　壬秋泛舟东山月出
辰极拱群星　　　　　辰枢居所北极星高

才吟辛卯惊天曲
又写壬辰动地诗
　　　　（郭保中）

癸　巳

癸樽锡福　　　　　　　　癸父鼎铭商篆字
巳禊迎祥　　　　　　　　巳春禊事晋清谈

癸铭商鼎　　　　　　　　绿遍园林癸形交木
巳宴曲江　　　　　　　　春舒郊野巳宴曲江

丰功送走壬辰岁
伟业迎来癸巳年
　　　　　　（郭保中）

甲　午

甲开上第　　　　　　　　甲帐宏开朱云环对
午照中天　　　　　　　　午檐高敞绿树荫浓

甲第吉祥至　　　　　　　甲第云连竹苍松茂
午庭暖气来　　　　　　　午窗日暖鸟语花香
　　　　　　（郭保中）

甲第迎祥至
午风送暖来

乙　未
乙藜普照　　　　　　　乙近杏花苞现紫
未艾方兴　　　　　　　未匀柳色绶拖黄

燃乙藜杖　　　　　　　乙照良宵为燃藜杖
读未见书　　　　　　　未通芳讯且问梅花

丙　申
丙年有庆　　　　　　　丙穴嘉鱼初入馔
申锡无疆　　　　　　　申滨乳燕乍来栖

丙晨秋日朗　　　　　　丙穴呈祥嘉鱼南有
申旦和风清　　　　　　申公高隐驷马东来

丁　酉
丁年奋发　　　　　　　丁帘春昼永
酉岁丰收　　　　　　　酉穴古书多

丁年旺盛　　　　　　　丁岁观光惭国士
酉岁平安　　　　　　　酉山探密识奇书

　　　　　（郭保中）

丁字垂帘寻妙句　　　　　丁字帘垂有花有月
酉阳杂俎赏奇文　　　　　酉樽酒满古色古香

戊　戌

戊春育物　　　　　　　　戊年双燕寻巢至
戌仲迎祥　　　　　　　　戌岁百花向日开

戊春人饮社　　　　　　　戊日嬉春新燕来社
戌日客登山　　　　　　　戌年作赋孤鹤横江

戊春千院秀　　　　　　　戊育群生咸知春水
戌狗九州新　　　　　　　戌丰万物共庆秋成
　　　　　（郭保中）

戊岁年丰依瑞雪
戌时景好在阳春
　　　　　（郭保中）

己　亥

己过必改　　　　　　　　己身担大任
亥算方长　　　　　　　　亥算纪长龄

己门增瑞气　　　　　　　己过必改君子德
亥院益文明　　　　　　　亥算无疑老人年
　　　　　（郭保中）

己修厥身文章千古
亥纪其步世界一周

庚　子

庚星入梦　　　　　　竹报梅开庚邮送喜
子舍承欢　　　　　　兰馨桂馥子舍承欢

庚递书传燕　　　　　洛社同庚一时称盛
子祥梦兆熊　　　　　箕畴多子五福骈臻

辛　丑

辛夷花放　　　　　　辛盘乍献椒花颂
丑腊春回　　　　　　丑腊初回爆竹鸣

得辛占岁熟　　　　　老圃可为陈辛负耒
建丑觉春迟　　　　　高贤止宿景丑留宾

壬　寅

壬林祝寿　　　　　　壬年游赤壁
寅谷迎春　　　　　　寅绾启青阳

壬晖盈大地　　　　　　壬年作赋清游记
寅气满乾坤　　　　　　寅日迎春平秩书
　　　　（郭保中）

壬岁泛舟秋夜乐
寅春协律夏时行

癸　卯

癸时吉庆　　　　　　癸岁兰亭曾作序
卯岁安康　　　　　　卯时柏酒共衔杯
　　　　（郭保中）

癸符叶吉　　　　　　癸父鼎彝子孙永宝
卯饮呈祥　　　　　　卯春门第风日和融

癸年葵向日
卯岁柳成荫

甲　辰

甲周花数　　　　　　甲第云连邻可买
辰拱星群　　　　　　辰居星拱德原同

甲年除旧俗　　　　　　甲第连云瞻桂栋
辰岁树新风　　　　　　辰砂和露画桃符
　　　　（郭保中）

甲第巍巍辉北斗
辰星朗朗耀东天

乙 巳

乙燃藜杖
巳集兰亭

乙藜光照分天禄
巳药诗歌配地支

乙花春富贵
巳竹岁平安

献岁迎祥太乙五福
及时修禊上巳三春

（郭保中）

乙燃天禄阁
巳宴曲江亭

丙 午

丙鱼献瑞
午鸟迎春

丙穴探奇嘉鱼多有
午帘送暖好鸟时鸣

丙穴鱼游水
午窗鹿梦蕉

丙舍春回喜见河山增色
午窗日暖欣看桃李争芳

丁　未

丁年正壮　　　　　　　　丁逢盛世无非福
未艾方兴　　　　　　　　未到晓钟犹是春

丁岁皆如意　　　　　　　丁水分溪双游波合
未年尽自安　　　　　　　未央启宴五夜春长
　　　　（郭保中）

丁年方壮盛
未雨欲绸缪

戊　申

戊繁多茂　　　　　　　　戊时好景年年好
申锡无边　　　　　　　　申日新春岁岁新
　　　　　　　　　　　　　　　　（郭保中）

戊春添秀色　　　　　　　戊运顺时能茂物
申岁报佳音　　　　　　　申生降岳早钟灵
　　　　（郭保中）

戊春新启社　　　　　　　戊育田园春华秋实
申日乐还乡　　　　　　　申生嵩岳人杰地灵

己　酉

己勤无俭岁　　　　　己推及人一心忠恕
酉熟尽丰年　　　　　酉熟今岁四野丰盈

己修身正鹄　　　　　己欲群生必慎独处
酉熟岁来鸿　　　　　酉占秋熟端赖春耕

己逢端月初临瑞
酉遇佳年又报祥
　　　　　（郭保中）

庚　戌

庚星叶梦　　　　　　庚日拜经青年励志
戌岁纪游　　　　　　戌秋作赋赤壁纪游

庚日五经拜　　　　　炳炳群星长庚焕彩
戌秋一苇如　　　　　曈曈万户屈戌增辉

庚明政善千家瑞
戌顺人和万户春
　　　　　（郭保中）

辛　亥

辛椒献颂　　　　　　　辛夷香满藏春坞
亥算添筹　　　　　　　亥既光生照夜珠

　　　　　　　　　　　　　　　（杨翰芳）

辛日春光好　　　　　　惟有辛劳能补拙
亥时曙色奇　　　　　　更教亥算喜延年

　　　　　（郭保中）

辛夷春献瑞　　　　　　辛苦半生为民为国
亥既夜悬珠　　　　　　亥添百算多寿多福

壬　子

壬林洽颂　　　　　　　壬符醉把新桃换
子舍腾欢　　　　　　　子墨闲看旧稿添

　　　　　　　　　　　　　　　（杨翰芳）

壬林添喜气　　　　　　壬耀河山多俊秀
子夜送歌声　　　　　　子勤草木尽峥嵘

　　　　　　　　　　　　　　　（郭保中）

壬岁泛舟称雅兴
子房借箸赞高人

壬林锡嘏宾延乐
子弟攻书世泽长

癸　丑

癸樽铭汉　　　　　　癸年葵日诚心向
丑律从商　　　　　　丑岁兰亭禊事修

癸年修禊事　　　　　癸方日暖龟蛇动
丑岁转春阳　　　　　丑腊春回梅柳新
　　　　　　　　　　　　　（杨翰芳）

癸来梅吐玉　　　　　癸鼎镌铭子孙永宝
丑到柳含金　　　　　丑年修禊少长俱来
　　　　（郭保中）

甲　寅

甲应春木　　　　　　甲兵昂昂五湖泰
寅行夏时　　　　　　寅虎巍巍四海安
　　　　　　　　　　　　　（郭保中）

甲藏今不用　　　　　飞者有翼介者有甲
寅畏古当尊　　　　　年计在春日计在寅

甲子纪年师靖节　　　甲第连云名高北斗
寅宾出日禀羲和　　　寅宾出日春迓东郊
　　　　　　（杨翰芳）

乙　卯

乙祥长发　　　　　　　　　乙益黄金新岁月
卯运方兴　　　　　　　　　卯添锦绣好前程
　　　　　　　　　　　　　　　　（郭保中）

乙泛红莲坐　　　　　　　　乙杖夜燃书校天禄
卯催绿野耕　　　　　　　　卯门春启景绚韶华

乙有长风万里福　　　　　　乙杖燃藜书校深夜
卯迎旭日九州春　　　　　　卯门启瑞历布阳春

丙　辰

丙竹报喜　　　　　　　　　依丙有星人共老
辰柳迎春　　　　　　　　　怀辰以往杖为朋
　　　　（郭保中）　　　　　　　　（杨翰芳）

丙鱼探穴　　　　　　　　　丙穴探奇双鱼吉庆
辰象建枢　　　　　　　　　辰垣居所万象包罗

丙曜照南极　　　　　　　　丙曜当天临乎大地
辰枢居北方　　　　　　　　辰枢居所拱者群星

丁 巳

丁年大壮　　　　　　添丁延寿称心过
巳位中孚　　　　　　上巳清明转眼来

丁增瑞气　　　　　　丁字垂帘花香春暖
巳益春光　　　　　　巳日修禊天朗气清
　　　　（郭保中）

丁帘照花影
巳禊修兰亭

戊 午

戊年如意　　　　　　戊日燕知春不老
午岁平安　　　　　　午晴莺语昼初长
　　　　（郭保中）

风和戊燕至　　　　　戊社风和来燕语
日暖午鸡鸣　　　　　午天云淡养花魂
　　　　　　　　　　　　　（杨翰芳）

戊日燕来社　　　　　戊日迎春社中鸣鼓
午时蜂闹门　　　　　午风送暖林下弹琴

己 未

己长靡恃
未艾方兴

己意须将人意体
未然宜作已然思

己过勿惮改
未患当先思

己所不欲勿施于彼
未之能行惟恐有闻
（杨翰芳）

己出文章堪宝贵
未来岁月正绵长

庚 申

庚星入梦
申命由人

庚星献瑞开诗境
申岁迎春展画屏

庚花黄卷外
申竹绿樽前
（杨翰芳）

庚星入怀神仙小谪
申甫降世崧岳有灵

庚庚望西成有实
申申学东鲁燕居
（杨翰芳）

庚庚大横汉文叶吉
申申雅度鲁圣同钦

辛　酉

辛勤学业　　　　　　　辛年献瑞新群象
酉熟丰年　　　　　　　酉岁迎春富万仓

辛序逢新岁　　　　　　辛日祈年罗陈嘉种
酉期祝大年　　　　　　酉山探胜藏贮奇书

辛夷欲发枝头暖
酉黍初尝瓮口春

壬　戌

壬成万物　　　　　　　壬雨蚕桑春盎暖
戌养四时　　　　　　　戌潮鱼市月黄昏
　　　　　　　　　　　　　　　（杨翰芳）

壬林祝北极　　　　　　壬岁纪游两赋传诵
戌腊溯东京　　　　　　戌阳入土万物告成

壬林载颂卫公学
戌岁优游苏子文

癸　亥

癸尊永宝　　　　　　　癸鼎焚香烟袅袅
亥算遐龄　　　　　　　亥年计算寿绵绵

癸尊宜永宝　　　　　　癸父鼎铭遗文可识
亥市乐长春　　　　　　亥唐蔬食佳话犹传

癸不须呼凭暖雨
亥如有步趁春风
　　　　　（杨翰芳）

附录二

春联常用横批

一门喜庆	人寿年丰	人喜春风	人喜春阳
三春长驻	三春桃李	三春喜庆	三春得意
大地回春	大展宏图	万事如意	与德为邻
山环水绕	山明水秀	日升月恒	日新月异
长发其祥	风光无限	文明处世	文明昌盛
心地光明	心花怒放	双喜临门	世泽典范
本固枝荣	四季平安	四海皆春	民殷国富
百年大计	百花献瑞	吉祥如意	团结和睦
合家欢乐	华堂增辉	宅院生辉	安居乐业
旭日东升	国治家齐	国泰民安	幸福永存
家和业兴	紫气东来	瑞气临门	福寿康宁
勤俭持家	春入山乡	春入农家	春入神州
春山吐翠	春山竞秀	春山新景	春日化雨
春日宜人	春日和风	春风及第	春风时雨
春风初度	春风雨露	春风和煦	春风骀荡
春风浩荡	春风徐来	春风绣宇	春风得意
春风梳柳	春风惠我	春风紫气	春风瑞霭

春风满面	春为岁首	春归华夏	春归花艳
春归草碧	春归林茂	春归柳绿	春回大地
春回赤县	春光无限	春光永驻	春光明媚
春光晓色	春光美好	春光满院	春色无私
春色宜人	春色争妍	春色妖娆	春色盈门
春色满山	春色满园	春如人意	春花千树
春花似海	春花争艳	春花烂漫	春花俏丽
春花娇媚	春花清雅	春花遍地	春花满眼
春来喜气	春来福到	春和雨润	春和景明
春临万户	春临四海	春临华夏	春联迎喜
春联祝福	春景长存	春景宜人	春景争辉
春满人间	春满九州	春满河山	春满神州
春满乾坤	春潮滚滚	春暖花开	迎春纳喜
迎春接福	新春吉庆	新春吉祥	新春如意
新春时雨	新春快乐	新春新岁	喜沾春雨
喜庆新春	喜迎新春	喜度元春	喜舞春风
喜燕报春			